JARDIN PRACTICO

Frutas y verduras

> Un huerto decorativo e integrado en su jardín
> Una gran variedad de frutas, verduras y hortalizas frescas en la mesa

RENATE HUDAK

HISPANO
EUROPEA

1 Proyecto 4

2 Prácticas 28

1

Proyecto

¿Qué puedes ofrecer?

Plantar frutas y verduras en el jardín es algo que está muy de moda. ¡Sí, incluso puedes cultivar lechugas y fresas en la terraza o el balcón con todo orgullo! Pero si deseas disfrutar de las frutas y las verduras que tú mismo hayas cultivado, primero debes dedicar algo de tiempo a hacer inventario.

suficiente para hacer de forma periódica los trabajos que surgen, como pueden ser el riego, la poda, el abonado y el *mulching* o acolchado. También durante las épocas festivas y de vacaciones, al menos durante los meses más calurosos del verano, debes tener la garantía de que tu jardín o las macetas de hortalizas de los balcones reciban el cuidado suficiente, porque en caso contrario todos tus esfuerzos anteriores habrán sido en vano.

¿Qué tamaño tiene en total tu jardín? ¿De qué superficie dispones para dedicar a plantas útiles? ¿Dispone el espacio sólo de zonas soleadas o más bien se trata de un reino de las sombras? ¿Existe suficiente espacio llano para los parterres de hortalizas y verduras? ¿Puedes plantar árboles frutales sin que la sombra que produzcan o la caída de sus hojas te perjudiquen o molesten a tu vecino?

A la hora de plantar debes intentar tener en cuenta todas las cosas más importantes que acompañan el cultivo del propio huerto de frutas y verduras. ¿Tienes tiempo

Tus propios deseos

Lo primero que se debe tener bien claro es la realidad en cuanto a espacio, tiempo y despliegue de esfuerzo de que se dispone. Luego deberás plantearte el aspecto que deseas para el jardín de tus sueños. ¿El concepto de «huerto» significa para ti un mero «suministrador de alimentos» o quizá lo que esperas es

una zona ajardinada con una bonita distribución de frutas, verduras, hierbas aromáticas y flores de mil colores? ¿Quieres que todos los integrantes de tu familia estén abastecidos de forma permanente con frutas y verduras cultivadas en tu propio huerto?

¿Quizá te basta con tener siempre a mano algo de hortalizas y frutas para los niños? ¿Para ti es suficiente con unos pocos macizos de verduras y un par de arbustos de bayas integrados a la perfección en el terreno disponible del jardín, o te parece más importante que el jardín disponga de una distribución agradable y original? Lo primero de todo es pensar con toda la tranquilidad posible en el jardín soñado, para después poder trabajar sobre esa idea de la forma más concreta posible. A partir de ahí comprobarás que la planificación de tu huerto se verá coronada por el éxito.

Las frutas, las verduras y las hortalizas se pueden integrar de múltiples formas en el jardín para contribuir a su decoración.

¿Dónde se desarrollan mejor las frutas y las verduras?

¿Qué aspecto tiene el mejor lugar para colocar los diversos tipos de frutas y verduras? ¿Qué puedes hacer si no dispones de ese sitio? ¿Existen alternativas?

Lo imprescindible para tu surtido de frutas y verduras es la disponibilidad de espacio, las condiciones de ese lugar y la composición del suelo. Un manzano, por ejemplo, necesita mucho más espacio que un arbusto de bayas. Las berenjenas y los tomates deben estar en un lugar que sea lo más soleado posible, y los arándanos precisan de un suelo ácido.

¿Mucho espacio o poco?

■ Los arbustos de bayas precisan de 1,5 a 2,5 m² de superficie y llegan a alcanzar una altura de 1 a 1,5 metros.

Los frutales, según su clase, han de disponer de un espacio de entre 5 a 25 m² y pueden alcanzar una altura del tronco de 1,8 metros (ver página 20). Los árboles grandes nunca se deberán plantar muy cerca de la valla del vecino. Para esos casos existen unas distancias determinadas que no se deben sobrepasar (ver «Consejo» de la página 62). Si tienes poco espacio, lo mejor es que te decidas por arbustos formados en huso, boj o árboles de espaldera (ver página 20). El tronco de un arbusto en forma de huso sólo se alza a unos 60 centímetros del suelo y la copa, debido a su forma de huso, es bastante pequeña; el boj presenta también un tronco de unos 60 cm de altura, aunque su copa es más amplia. Las de los árboles de espaldera tienen por lo general forma plana, por lo que precisan de poco espacio.

■ Los frutales trepadores o de enredadera, como las espalderas de kiwis o la vid, se pueden cultivar en paredes, muros, vallas y alambres tensados. De esa forma se ahorrará mucho espacio. ¡Pero hay que tener en cuenta que el lugar ha de estar bastante soleado!

■ Para los macizos de hortalizas y verduras se debe contar con un tamaño medio de, más o menos, 1,5 × 2 metros. Para disponer de un buen surtido de hortalizas y verduras que sea suficiente para una familia de cuatro miembros, necesitarás tres o cuatro veces esa magnitud como dimensión del bancal.

■ Si para plantar frutas y verduras sólo dispones del sitio que te ofrece el balcón o la terraza, deberás elegir plantas pequeñas y que mantengan

Si utilizas la pared de la casa a modo de espaldera de kiwis, el árbol recibirá el calor suficiente que necesita para prosperar y te proporcionará una gran cantidad de dulces frutos.

Las alcachofas adoran el sol y el calor. Tenlo en cuenta a la hora de adjudicarles un lugar en el jardín.

que, a la larga, reciben muy poco «alimento». En los suelos pesados y empapados a las raíces de la planta les falta aire, y literalmente se «asfixian». Sin embargo, puedes tomar las medidas adecuadas (ver páginas 34 y 35) para adaptar el suelo a las necesidades de las frutas y las verduras.

¿Una carga o un placer?

Para muchos propietarios el trabajo en los jardines y las huertas es «el descanso en su estado más puro». Antes de empezar a cultivar un amplio jardín dedicado a frutas y verduras, piénsate muy en serio si esa frase se adapta bien a tus características. Ten en cuenta, sobre todo, que la necesidad de poda de los frutales (ver páginas 72 y 73) exige un amplio despliegue de tiempo. Las zonas muy espaciosas que se dediquen a hortalizas necesitarán de muchas horas de trabajo al año sólo para las operaciones de preparación del suelo, elaboración del compost y mantenimiento de los senderos. ¡Sin contar con que, después, hay que regar, abonar, mullir y recolectar!

escaso su tamaño, de especies que sean compactas o estrechas y/o de forma colgante.

Sol y mucho calor

Cuanto más sol y calor reciban las frutas y las verduras, mejor madurarán y más exquisito será su aroma.
- Para proteger tus verduras de las corrientes, el viento y las temperaturas frías, en el macizo puedes colocar un cercado bajo de un arbusto de tipo perenne (ver página 13) o hierbas como la lavanda o el hisopo que, además, le otorgarán un aspecto fantástico. Jamás ha de existir un edificio o un árbol que arroje sombra permanente sobre el parterre; la consecuencia será una deficiente maduración y una gran propensión a padecer enfermedades o invasiones de parásitos.
- Los frutales como, por ejemplo, albaricoques, melocotones, kiwis y uvas de mesa son muy ávidos de sol. Si en tu jardín faltan zonas lo bastante soleadas, deberás plantar ese tipo de cultivo adosado a la pared de la casa, en forma de

espalderas. De esa manera podrán servirse del calor que les proporcionen las paredes y los muros que están expuestos al sol.
- Si tu disponibilidad de espacio sólo te da para plantar frutas y verduras en el balcón o la terraza, lo más ventajoso es que la orientación sea sureste o suroeste.

El suelo lo hace todo

Para el jardín culinario lo más apropiado es un suelo ligero y muy rico en humus. En un sustrato pobre y sin muchos nutrientes, las frutas y las verduras maduran mal debido a

---

Información

LO QUE HAY QUE TENER CLARO DE ANTEMANO

✔ ¿Cuánto sitio tienes disponible de verdad para el cultivo de frutas, verduras y hortalizas?

✔ ¿Dónde están las zonas más soleadas de tu jardín?

✔ Si se diera el caso, ¿podrías eliminar un árbol muy alto o un seto vivo a fin de disponer de más sol y luz?

✔ ¿Qué tipo de suelo existe en tu jardín?

✔ ¿Se puede mejorar ese sustrato?

La forma adecuada de proyectar tu jardín culinario

Por supuesto, lo primero que hay que hacer a la hora de proyectarlo es echar un vistazo a las plantas que deben formar parte del huerto. También debe estar muy bien previsto el tamaño de parterres, cercados y senderos.

En primer lugar, piensa en la «infraestructura» que necesitas para tu jardín de frutas y verduras. Debe haber la menor distancia posible hasta la toma de agua, al depósito de agua de lluvia o a la cisterna, al montón de compost y al cobertizo de las herramientas; de esa forma, al tener todo al alcance de la mano, tu trabajo será mucho más efectivo.

Un sendero con suelo de piedra natural y ladrillo refractario constituye un duradero y magnífico adorno para la huerta.

Prepara un boceto

Antes de que las frutas y las verduras lleguen a tu jardín, deberías hacer un boceto. Dibújalo a escala, por ejemplo 1:100 (1 centímetro del plano se corresponde con 1 metro en el jardín), y representa sobre el plano todos los edificios, los caminos, los árboles y los arbustos que ya existan.

Frutales que requieren mucho espacio

En primer lugar deberás representar sobre el plano los frutales y los arbustos de bayas que desees tener. Estas plantas tienen una vida más larga que los demás cultivos y, a causa de la sombra que producen y el tamaño de sus raíces, pueden interferir o impedir el crecimiento de las restantes plantas.

Deberás pensar con mucho detenimiento en el emplazamiento de los frutales en el jardín pues, a medida que pasen los años, necesitarán cada vez más espacio. Un manzano crecido de tronco alto puede tener un ancho de copa de ocho a diez metros y en los melocotoneros, membrilleros o guindos se pueden alcanzar los cuatro o cinco metros.

¡Aquí voy a poner las verduras!

Lo siguiente que debes hacer es dibujar los futuros bancales.

■ Los parterres de hortalizas y verduras necesitan una superficie muy plana. Para eso puede que tengas que remover o desplazar los árboles o arbustos que ya dispones.

■ En un jardín en declive o pendiente puedes colocar los parterres en forma de terraza y luego protegerlos con un murete bajo.

■ Un bancal de 1,2 metros de ancho permite que trabajes en él con toda comodidad desde ambos lados del mismo. Los que sean muy largos deberán estar atravesados por unos pasillos centrales. Si tienes en cuenta estas normas básicas, no tendrás limitaciones en cuanto a la forma y el tamaño de los parterres.

■ ¡Te está permitido hacer todo lo que más te agrade, ya sean varios macizos pequeños o uno más grande, que su forma sea la convencional de tipo cuadrado, circular o en curva! Lo único que debes tener en cuenta en tu proyecto es que, con las dimensiones que deseas, todo quepa en el espacio de tu jardín.

Con toda comodidad desde el jardín a la mesa

Para el cuidado de los bancales necesitas unos senderos transitables que no sean demasiado estrechos. Sobre todo en climas lluviosos y si se tiene prisa, es muy importante que puedas llegar a los macizos de las verduras con el calzado seco y limpio. Por lo tanto es obligatorio que planifiques esos senderos. Para el camino principal se recomienda disponer de una anchura de 50 a 60 centímetros. Debes poder moverte por él con comodidad aunque lleves contigo la carretilla (por ejemplo, para cargar los residuos o transportar el compost). Los otros senderos, por ejemplo los que utilices para la recolección o el riego, pueden ser algo más estrechos.

Una disposición adecuada de los senderos

Dispones de varias posibilidades, todas muy sencillas, a la hora de preparar y asegurar los senderos.
■ Los tablones de madera o los emparrillados de listones son muy baratos y se colocan de forma muy rápida y práctica. Sin embargo, también cuentan con desventajas. En un clima muy húmedo, la madera se puede volver muy escurridiza y debajo de ella, sin que nos percatemos, se pueden colar caracoles.
■ La superficie de los caminos también se puede cubrir con madera troceada, corteza desmenuzada o gravilla. Sin embargo, hay ocasiones en que estos materiales acaban por pasarse a los macizos. El sendero se hunde al cabo del tiempo y hay que rellenarlo de material cada tres o cuatro años. La madera y la corteza también ofrecen buenas posibilidades para que se oculten diversos parásitos.
■ Mucho más laboriosos de construir y bastante más caros, pero muy duraderos, son los caminos sólidos realizados con materiales resistentes a las heladas, como puede ser la piedra natural, los ladrillos de arcilla o el hormigón, ya sean en forma de placa, ladrillo precocido o adoquín.

Un buen cerramiento

Un seto vivo alrededor de la plantación como cerramiento del bancal de verduras te dará un buen servicio. Servirá de separación con el resto del jardín, además de mantener alejados de las verduras a los niños traviesos y a los perros; por último, pero no por eso menos importante, también se encargará de ofrecer a las plantas el mejor microclima protector posible.
■ Para evitar que arroje una sombra innecesaria, el seto vivo no debe tener una altura superior a los 1,2 metros. La distancia con respecto al parterre debe ser de 30 centímetros por lo menos, aunque lo óptimo sería que estuviera alejado un metro.
■ Quien no disponga de espacio para plantar un seto vivo, puede cercar cada uno de los bancales independientes (véase la figura de la página 13). Para proteger a las hortalizas contra el viento, esos cercados deben tener entre 15 y 20 centímetros de alto y de 10 a 15 de ancho.

Si dispones de suficiente espacio, te puedes permitir la colocación de un acogedor rincón en la huerta para sentarte.

Sacar a escena la variedad de frutas y verduras

¿Qué aspecto debe tener un huerto? Lo mejor es que te inclines por una encantadora mezcla entre las plantas útiles y las ornamentales, un conjunto de jardín campestre rodeado de arbustos, o bien un bancal alto en un prado de tipo inglés.

Los tagetes *sirven para delimitar la forma de los arriates de verduras y proporcionan un bello colorido.*

Hay ocasiones en que los jardines de frutas y verduras pueden llegar a provocar una existencia plagada de sombras, y eso puede influir mucho en su organización.

Arriésgate al organizar

Los huertos no sólo ofrecen alegrías al paladar, sino que también se pueden convertir en un auténtico placer para la vista. Veamos algunos ejemplos de organización.

¿Tradicional o moderno?

Desde el primer momento debes tener muy claro el estilo de organización que mejor encaje con tu forma de ser, sea adecuada a tus gustos personales, te resulte práctica y las ventajas que te pueda ofrecer en cuanto a la realidad del espacio y las condiciones previas disponibles. Tampoco debes olvidar el tema del estilo de la casa y el resto de los edificios, que deben armonizar con el huerto.

■ Las casas viejas o de campo se pueden integrar muy bien con los estilos tradicionales de jardín, como son los huertos campestres o de tipo convento. A ese tipo pertenecen las formas cuadradas de los macizos y los parterres atravesados por senderos, plazoletas y cercados de arbustos. Junto a las hortalizas y las verduras, en los bancales se pueden colocar hierbas aromáticas y plantas ornamentales como rosales, espuelas de caballero, peonías, lirios, campanillas, caléndulas y capuchinas. También se pueden añadir algunos elementos «románticos» al jardín, como son las fuentes, un banco de piedra, un arco con flores o unas rosas que trepen por un viejo frutal.

■ A las casas modernas les va mejor una organización de tipo más formal. Esto se traduce en el empleo de plantas que soportan la poda (boj, tejos y arrayanes) que actúan a modo de cerramiento del bancal, «separador de espacios», o como esculturas verdes. En la superficie de cultivo, las plantas no forman una mezcolanza multicolor, sino que todo el jardín o los parterres independientes se orientan hacia un determinado tema. Puede haber un parterre de tono «azul» u otro «blanco», o también un bancal en el que las plantas con forma de columna se coloquen en la parte posterior, detrás de una esfera de boj.

Aquí también los adornos adecuados para el jardín se encargan de ser el centro de todas las miradas: una moderna escultura de piedra o de metal, unos muros que protejan de las miradas curiosas y estén pintados en tonos claros, una fuente o un banco donde poder sentarse.

Mucho espacio: ¡sácale todo el partido posible!

Si tienes una superficie de jardín muy grande, es decir, de por lo menos 1.000 m², está claro que la organización será mucho más liberal y flexible que si sólo dispones de unos pocos metros cuadrados para el huerto.

■ En un gran jardín, por ejemplo, puedes colocar parterres independientes de hortalizas que sean accesibles desde la vivienda. También puedes plantarlas en la terraza. Los bancales de verduras deben situarse en un lugar llano y soleado, mientras que los arbustos de bayas se deben cultivar a lo largo de la valla; al mismo tiempo cada uno de los árboles frutales puede servir para aportar una sombra que permita sentarte en la hierba bajo su protección.

■ O bien puedes preparar un vergel a base de diversos tipos y variedades,

luego deja crecer verduras en una hilera de prácticos arriates elevados que, con arbustos de bayas y frutas trepadoras, rodearán la terraza o un lugar donde te puedas sentar en el jardín, además de ocuparse de protegerte de las miradas indiscretas.

■ Si está claro que dispones de espacio suficiente, también puedes realizar una colorida mezcla de girasoles, plantas vivaces, frutas y verduras, como suelen utilizar los amantes de los jardines de las casas de campo inglesas (jardines tipo *cottage*).

Poco espacio: ¡utiliza tu ingenio!

Si no tienes mucho sitio para la fruta y la verdura, trata de utilizarlo de la forma más efectiva posible con estos otros ejemplos de organización.

■ En un jardín pequeño no hay mucho espacio para caminos serpenteantes y superficies plantadas; en ese caso, tienes la posibilidad de orientarte a la imagen clásica de un jardín campestre o de convento. Los parterres rectangulares con caminos rectos intermedios te permitirán colocar un surtido básico de frutas y verduras que no despilfarren el espacio y, al mismo tiempo, también ofrecerán un aspecto abierto y

En este huerto, los bordes del cerramiento del bancal están bien definidos gracias a un trenzado de mimbre. En lo más alto el énfasis lo ponen las judías trepadoras sobre varas.

hermoso. Para el modelo más sencillo basta con cuatro bancales situados en los bordes de dos senderos en cruz. Necesitas una superficie plana, rectangular o cuadrada, de un tamaño mínimo de 15 m^2 y que, además, esté situada en el lugar más soleado posible.

■ Alrededor de un bancal alto (ver páginas 40 y 41) con hortalizas y verduras, se puede colocar una práctica y atractiva pradera. Debes contar con una anchura de 1,40 metros.

■ Tanto el grosellero común como la uva espina se pueden plantar como arbolitos de tronco alto, a los que también puedes añadir fresas, e integrarlos en bancales y huertos de verduras.

■ Los elementos para protegerte de miradas pueden ir recubiertos de morales sin espinas o de un peral de espaldera recortado en forma de abanico y adosado a la cálida pared del garaje. Éstas son otras de las posibilidades para incluir las frutas en un jardín pequeño.

Consejo

DELIMITAR LOS LINDEROS CON UN SETO DE BOJ

El boj es ideal para definir los bordes de los macizos, y se puede modelar con la forma que se desee. A fin de que las raíces no se propaguen por el bancal, has de ponerle coto con una barrera de antiraíces de boj. Introduce en el terreno, a unos 20 cm de distancia unas de otras, unas tiras de metal entre el borde del boj y la superficie del macizo.

13

¿De qué surtido dispones?

A primera vista, la oferta de frutas, verduras y hortalizas es inmensa, además de una enorme diversidad en cuanto a exigencias de mantenimiento, resistencia o utilización. ¡Aquí podrás encontrar un buen indicador para ese surtido tan abundante!

Si quieres disponer en tu mesa de alimentos frescos durante todas las estaciones y disfrutar de las más variadas experiencias de sabor, si quieres disfrutar de tu cosecha, tanto fresca como almacenada y ya cocinada, se te ofrecen muy diversas posibilidades.

Al plantear tus criterios de selección debes tener en cuenta

■ **Plazo del cultivo:** algunos cultivos, como los berros de jardín, son una «variedad rápida» que están listos para la recolección pocos días después de haber sido plantados. Sin embargo, la coliflor precisa de varias semanas hasta que sus blancas cabezas puedan aterrizar en tu olla; y durante ese tiempo ocuparán un lugar en tu bancal de verduras. Si disponen de una cobertura de plástico, fibras textiles o cristal (ver páginas 56 y 57), la duración del cultivo se reduce bastante.

■ **Necesidad de cuidados:** la mayoría de las hortalizas y las verduras de hoja crecen casi por sí solas. Sin embargo, después de la siembra deben ser aclaradas, aunque este paso te lo puedes ahorrar si utilizas tiras de semillas (ver página 51). Las verduras con frutos (tomates, pepinos) exigen mucho trabajo. Los frutales precisan muchos más cuidados que los arbustos de bayas.

■ **Salud de la planta:** muchas variedades de frutas y verduras muestran una especial capacidad de protección, e incluso resistencia, contra determinadas enfermedades y parásitos. En tales circunstancias eso significa un mantenimiento mucho menor y una mejor calidad de la cosecha.

■ **Color y forma:** en el caso de las verduras y las lechugas existe la tendencia a una gran variedad de colores y formas llamativas. Muchas especies nos sorprenden con sus hojas coloreadas y las grotescas formas de sus frutos.

■ **Capacidad de almacenamiento:** en el comercio, para algunos tipos de frutas y verduras existen unos lugares especiales para la acumulación en los que, si se coloca la fruta de una forma adecuada a sus características (ver páginas 88 y 89), mantiene su buen sabor después de semanas, e incluso meses, de haber sido cosechada.

■ **Consumo y procesado:** las lechugas, las verduras de frutos, las bayas y las clases tempranas de fruta se deben consumir frescas y lo más recientes que sea posible. Las frutas y verduras de maduración tardía pueden ser saboreadas frescas, o se pueden preparar en conserva.

Un amplio surtido de frutas y verduras ofrece un saludable cambio a la dieta de (casi) todo el año.

Verduras y hortalizas: ¿novedades o lo ya acreditado?

La enorme cantidad de tipos de verduras y hortalizas no sólo sirve para que haya una gran variedad en la plantación de los bancales. Las distintas especies, tanto las de siempre como las nuevas, también se adaptan a los gustos culinarios más variados.

En Internet, en los catálogos de jardinería y en las revistas especializadas nos podemos informar sobre la disponibilidad actual de variedades en el surtido de verduras y hortalizas. ¿Debes otorgar tus preferencias a las variedades tradicionales y ya acreditadas? ¿Deseas fijarte, por el contrario, en las novedades y tendencias más actuales? ¿Te gustaría recuperar la verdura antaño, como las rutabagas, los colinabos o el armuelle?

Entonces, ¿qué deseas?

Para las novedades en cuanto al cultivo de hortalizas y verduras, el estudio de las nuevas ofertas de plantas te abrirá nuevos mundos, pero es necesario pedir consejo. Lo mejor es que para el cultivo de la verdura trabajes con un surtido básico y así no tendrás sorpresas.

Normales y ya acreditadas

En el caso de las variedades corrientes de hortalizas y verduras, la mayoría de las veces se trata de las que ya están acreditadas durante años o incluso decenios. Es mejor que no esperes nada en lo que se refiere a colores y formas llamativas, sino tan sólo que son muy dignas de confianza y regulares en lo que respecta a su crecimiento, salud y sustancias que contienen. Para los principiantes en jardinería y horticultura estas variedades resultan ideales, pues con ellas es muy sencillo obtener los primeros éxitos en la cosecha.

Tendencias y *hits*

Muchos de los nuevos cultivos, con sus colores especiales y formas de crecimiento llamativas, ponen en juego, en primera instancia, unos aspectos creativos que hacen que el huerto resulte mucho más variado y multicolor. Otros nuevos cultivos destacan por su marcada robustez y capacidad de resistencia frente a enfermedades y parásitos. Aquí también aparecen otras muchas variedades, pequeñas y compactas, que resultan muy apropiadas como «surtido para balcones».

La verdura para ensaladas no deja deseos insatisfechos

Buenas noticias para los amantes de la ensalada. El surtido disponible en la actualidad resulta muy apropiado para plantaciones que vayan desde la primavera temprana hasta el otoño tardío, sobre todo si lo haces bajo un plástico o un cristal (ver páginas 54 a 57). Además, muchas

La lechuga es muy saludable y, además, la diversidad de tipos actual proporciona un gran colorido al macizo en que se planta.

Las acelgas con penca de color rojo llaman mucho la atención de los «mirones» del macizo de hortalizas.

de las nuevas variedades se ocupan de que haya cambios en el macizo y modificaciones de color en la ensaladera: hojas de tono marrón oscuro, violeta o rojo, lisas o rizadas, como pueden ser la lechuga rizada «Red salad bowl», la *Lollo Rosso* «Solsun» o bien la lechuga verde crespa.

■ **Las lechugas de cogollo**, como la iceberg, la escarola, la lechuga tradicional y la achicoria o *radicchio*, son muy apropiadas para un tiempo muy corto de cultivo y, además, pueden rellenar los huecos existentes en los bancales en que tengas plantadas verduras de crecimiento más largo, como pueden ser la col, los puerros y las zanahorias.

■ **Las hortalizas de hoja suelta**, así como las lechugas de corte, la asiática, los canónigos, los berros de jardín o la roqueta no forman cogollos, sino unos rosetones sueltos u hojas aisladas. Crecen bastante rápido y por eso se pueden cultivar de forma continuada (ver página 87).

Además, se pueden plantar muy bien en macetas o jardineras colocadas en el balcón o la terraza.

¿Todo verduras o qué...?

No sólo existe un amplio surtido de lechugas y hortalizas para ensalada, sino que también las restantes verduras tienen mucho que ofrecerte.

■ **Las verduras de hoja y de penca**, como las espinacas o las acelgas, se pueden comer crudas en ensalada y también cocidas; además, es posible congelarlas muy bien (ver página 89). Se cultivan sobre todo en macetas y jardineras y puedes hacerlo hasta bien entrado el invierno.

■ **Las verduras de raíz y los tubérculos**, con sus representantes de crecimiento rápido como son los rabanitos redondos y los rábanos largos tempranos, sirven de muy buena motivación para los principiantes en horticultura, pues en seguida se consiguen unos rápidos resultados. El hinojo, el apio y las zanahorias o la remolacha roja tienen un cultivo cuya duración es algo mayor, pero luego ofrecen una cosecha muy aceptable. Además, las raíces y los tubérculos de las diversas variedades tardías se pueden almacenar muy bien.

■ **Las plantas bulbosas**, como las cebollas y los ajos, necesitan recibir bastante calor para que su maduración sea adecuada por completo. En cambio, los puerros, en sus distintas variedades, se pueden mantener en el bancal incluso en plena temporada de invierno.

■ El grupo de las **verduras de fruto**, al que pertenecen las berenjenas, los pepinos, las calabazas, los pimientos y los tomates, precisan de bastante espacio, mucho calor y los correspondientes cuidados para que lleguen a alegrarnos la vida a base de una cosecha abundante.

En zonas climáticas menos favorables es casi imprescindible el uso de pequeños invernaderos, o al menos la utilización de plásticos o recubrimientos textiles para preservarlos del frío.

■ Si tu zona de jardín no está muy soleada, entonces las verduras de tipo col, como pueden ser el brécol, el colinabo, la col verde y las coles de Bruselas, o bien las leguminosas, como los guisantes y las judías con sus diferentes tiempos de cultivo, pueden aportar forma, color y una gran cantidad de candidatos a ocupar tu bancal de verduras.

Información

LA VERDURA DEL HUERTO DE LA ABUELA

¡Los tipos de verdura de épocas pasadas atacan de nuevo! Prueba al menos una vez el gran pepino gigante «Azia-Gurke», (*Cucumis sativus*) dejado madurar hasta que amarillea y preparado con vinagre y granos de mostaza. O las modestas habas (*Vicia faba*) cuyos grandes granos, blancos o verdes, se pueden cocinar como verdura o tomarlos en forma de ensalada. Hay muchos que consideran la colza o el nabicol (*Brassica napus*) o los nabos (*Brassica campestris*, var. rapa) unos platos exquisitos. Los nabos se pueden consumir en crudo o cocinados a modo de verdura.

17

El lema es: «Cultivar de acuerdo con un plan»

El éxito de la cosecha en los bancales de verduras y hortalizas depende de forma muy visible de la composición de los diversos tipos de verduras y de la sucesión anual de las distintas plantas. ¡Lo mejor es trabajar de acuerdo con un plan preestablecido!

Las verduras en los cultivos mixtos resultan muy agradables a la vista y, además, se fortalece su crecimiento.

En una sociedad vegetal tan esplendorosa en tipos y variedades, que es como ocurre en plena naturaleza, las diversas especies se hacen mutuos favores en lo que refiere a atender su propio crecimiento y a cuidar de su salud; en consecuencia, parece necesario utilizar ese principio en nuestro huerto a fin de ahorrarnos mucho trabajo, esfuerzo y dinero.

¡Bien planeado!

¡Con una buena planificación del cultivo, nuestro pequeño jardín culinario nos ofrecerá unas cosechas que llamarán la atención por su bondad y abundancia!

La mezcla lo hace todo

El cultivo mixto significa que un parterre no tiene por qué estar plantado con vegetales de una única clase, sino que pueden ser distintos los tipos de plantas que crezcan unas junto a otras. Ya sean plantadas, sembradas o en filas de distintas verduras y hortalizas, unas al lado de las otras, las distintas clases se turnarán en cada una de las líneas independientes.

Como ocurre también con las personas, entre las plantas hay tipos que se llevan bien y otros que no se soportan (véase la tabla de cultivos mixtos de la página 123). Junto a las exigencias generales de crecimiento, a la hora de cultivar también se deben tener en cuenta a los «buenos camaradas»; hay ocasiones en que incluso se ha de considerar de forma adicional el olor propio de cada especie y también los enemigos específicos del vecino; todo eso conllevará un fortalecimiento de la salud de las plantas. Así, por ejemplo, las moscas de las zanahorias son ahuyentadas por el

Las cebollas y las zanahorias son unos compañeros ideales en los cultivos mixtos. Se complementan muy bien en sus hábitos de crecimiento.

potente olor de la cebolla. Las moscas de la cebolla, por su parte, tampoco pueden «aguantar» el aroma de las hojas de la zanahoria.

A las calabazas les siguen los guisantes

Como «sucesión de cultivos» se entiende al laboreo de forma consecutiva de distintas variedades de verduras en un mismo parterre y durante un espacio de tiempo largo. Por medio de una armoniosa sucesión de frutos se establecerá un equilibrio entre las plantas de mayor y menor exigencia de consumo de nutrientes (véase la «Información» que sigue). Los tipos de verduras que extraen del suelo muchos nutrientes son muy exigentes y las clases que sólo precisan de pocos de ellos son de débil exigencia. Anota lo que siembras cada año en los bancales y de esa forma podrás mantener una sucesión de cultivos correcta. Por ejemplo, después de las calabazas, que son de gran exigencia de nutrientes, deberás poner guisantes, cuyo consumo es bastante bajo.

Verduras incompatibles

Así como en el caso de los cultivos mixtos, determinadas plantas crecen bien unas junto a otras, existen tipos de plantas que reaccionan con un claro retroceso en el volumen de la cosecha o una disminución en el crecimiento si, el próximo año o incluso algunos años más tarde, vuelves a sembrarlos en el mismo parterre. Por medio de un cambio regular se pueden impedir estas «incompatibilidades» que suelen afectar la mayoría de las veces a plantas de la misma clase o familia (véase «Especies»). Así, por ejemplo en el caso de verduras de tipo col (las Brasicáceas), necesitas una pausa de cultivo de entre tres a cuatro años antes de poder volver a plantarlas en el mismo bancal. Con un cambio de cultivo también se consigue que las enfermedades o los parásitos que se hubieran presentado ya no se expandan.

¿Mucho o poco tiempo en el bancal?

Si al planificar la plantación tienes en cuenta la duración del cultivo de las diversas verduras, a lo largo del año podrás utilizar de forma óptima la superficie de los macizos.

■ Las clases con un cultivo de duración larga (coliflor, judías, brécol, pepinos, calabazas, puerros, zanahorias, pimientos, remolacha roja, apios, tomates, calabacines, cebollas) se denominan «cultivos principales».

■ Los «cultivos previos» son los guisantes, los colinabos, las lechugas, los rabanitos redondos, los rábanos largos y las espinacas. Se plantan en primavera antes del cultivo principal.

■ Los «cultivos posteriores» (judías, coles chinas, escarolas, canónigos, coles verdes, colinabos, lechugas, nabos de invierno, coles de Bruselas, remolachas rojas, espinacas) crecen en el parterre después del principal, en el verano tardío o en otoño.

■ Los «cultivos intermedios» (canónigos, lechugas, puerro, rabanitos redondos, rábano largo, lechuga de corte, espinacas) tienen un tiempo de desarrollo bastante corto. Se reparten el parterre con el cultivo principal y rellenan los huecos de plantación que pudiera haber disponibles al principio.

Información

HORTALIZAS DE MAYOR O MENOR EXIGENCIA DE NUTRIENTES

■ **Poca exigencia de nutrientes:** guisantes, canónigos, berros, radicchio o achicoria, rabanitos redondos.

■ **Exigencia media de nutrientes:** escarolas, hinojos, zanahorias tempranas, coles, pepinos, ajos, acelgas, pimientos picantes, lechugas (común y de corte), espinacas, cebollas.

■ **Alta exigencia de nutrientes:** alcachofas, berenjenas, coliflores, coles chinas, colinabos, calabazas, puerros, rábanos largos, coles de Bruselas, remolachas rojas, apios, zanahorias tardías, tomates, repollos, calabacines.

¿Qué árbol frutal es el más apropiado para mí?

Entre la selección de árboles frutales y arbustos de bayas tampoco hay posibilidades de que nuestros deseos resulten insatisfechos. Para cada tamaño de jardín y cada gusto existes las opciones adecuadas.

Los frutales son verdaderos «todoterrenos»; año a año, en primavera, al florecer ofrecen un maravilloso espectáculo; durante el verano dan cobijo a muchos animales útiles y les ofrecen una posibilidad para que aniden y en el verano tardío y el otoño están repletos de sabrosos frutos. Pero la elección no siempre resulta sencilla.

Los arbustos de bayas no necesitan mucho sitio, son de un mantenimiento muy frugal y suministran cosechas copiosas.

Elegir los árboles frutales

Un criterio decisivo en la elección de un árbol frutal es su tamaño. La división de tamaños se rige por la altura a la que el tronco se transforma en copa. Con ese criterio, se clasifican en:
– tronco alto (160-180 cm),
– tronco medio (100-120 cm),
– tronco bajo (80-100 cm,
– y matorrales o arbustos en forma de huso (40-60 cm).

■ Los **troncos medios o altos** precisan de 10 a 25 m² de espacio a su alrededor, ofrecen un efecto imponente y una larga vida (¡pueden vivir hasta ochenta años!). Además, brindan grandes cantidades de fruta. Una desventaja de esos grandes frutales es que tardan mucho en dar fruto: los manzanos de tronco alto fructifican por primera vez a los diez años de edad y los perales a partir del octavo. Es evidente que los trabajos regulares que precisa su mantenimiento y cosecha son más complicados cuanto mayor sea el tamaño.

■ Los **frutales de tronco bajo, el boj o los arbustos en huso**, precisan de un espacio a su alrededor de 5 a 10 m². Dan frutos antes pero no llegan

a ser tan viejos como los árboles de tronco alto. De uno de ellos, por ejemplo, puedes empezar a recolectar los primeros frutos al cabo de uno o dos años. Sin embargo, después de algunos años más el árbol queda «agotado» y sólo llegará hasta la edad de unos diez años. Entre éstos podemos encontrar manzanos, albaricoques, perales, cerezos, membrillos y cerezos ácidos.

Entre los de forma de huso los más conocidos son los manzanos y los perales. Existen árboles de tronco bajo en todos los tipos de frutas.

■ Los árboles en espaldera tienen un tronco central y varias ramas horizontales, unas sobre otras, que se pueden apoyar en alambres. Su altura media ronda, en el caso de manzanos y perales, unos 2,5 metros, el ancho es de 3 a 4,5 metros y en profundidad sólo precisan de 30 a 40 centímetros de espacio. Las variedades de bajo crecimiento son apropiadas sobre todo para su cultivo en balcón o terraza, pues pueden adaptarse a recipientes de 10 a 25 litros de capacidad.

■ El manzano de tipo «**Ballerina**» o los **arbolitos en columna** son muy esbeltos. En los arbolitos de un único brote, los frutos se desarrollan en los cortos retoños laterales. Alcanzan un máximo de cuatro metros de altura.

Los arbustos de bayas son frugales

La fruta en forma de baya tiene muchos puntos positivos, porque es un tipo de arbusto que encuentra espacio incluso en los jardines más pequeños, no necesita mucho mantenimiento, es muy modesto, y crece y da frutos incluso en macetas

Un manzano frondoso exige bastante sitio en el jardín, pero te alegrará la primavera con el esplendor de sus flores, tendrás mucha sombra en verano y te obsequiará con una magnífica cosecha en otoño.

y tinas. Un año después de la plantación, y en el caso de las fresas en la misma temporada en que se planta, maduran los primeros frutos. Además, son de recolección mucho más sencilla que la de los frutales.

■ Las uvas espinas y las grosellas rojas y blancas se pueden obtener tanto en arbusto como en árbol de tronco alto. El cruce entre ambas clases, la grosella negra, sólo está disponible en forma de arbusto. Un árbol de tronco alto suele tener menor esperanza de vida que un arbusto aunque, sin embargo, suministra una cosecha mucho mayor. Los árboles de tronco alto que dan frutos necesitan de un andamiaje de madera en el que

poder apoyarse, pues las ramas se rompen con facilidad a causa del peso de los frutos.

■ Los brotes crecidos o retoños trepadores de las moras, frambuesas y *Loganberrys* (que es un cruce entre las moras y las frambuesas) necesitan espacio sólo en dos dimensiones, altura y anchura. Los cercados y vallas, un alambre tenso o un andamiaje, sirven de guía a la planta que crece y llega a formar verdaderos senderos.

Paredes repletas de fruta

Quien tenga poco sitio en el jardín, se puede permitir cultivar

moras, kiwis o vides, que se limitan a trepar por las paredes. Con sus brotes trepadores o entrelazados, estos frutales se pueden desplazar muy bien por las espalderas de pared o, alrededor de pérgolas, en la pared de una casa o un garaje.

■ Para las plantas que necesiten mucho calor es mejor elegir una pared protegida del viento y orientada al sureste o suroeste.

■ Quien, a la hora de hacer la cosecha, no quiera subirse a una escalera, puede colocar las plantas trepadoras sólo hasta una altura que le resulte accesible y luego, a lo ancho, hacer que vaya en horizontal o en forma de abanico.

21

Así podrás identificar el tipo adecuado de frutal

Para que a la hora de comprar tu árbol frutal puedas entender los conceptos que va a utilizar el vendedor, debes saber lo que es un patrón de crecimiento fuerte o débil, o quién necesita un polinizador.

Las diversas variedades y tipos de fruta no sólo se diferencian por su aspecto y sabor, sino también en lo que se refiere a crecimiento, tiempo de maduración, capacidad de almacenamiento, exigencias de suelo y de temperatura, y propensión a los parásitos y las enfermedades.

Para cada uno de nosotros existe la variedad adecuada

■ En primera instancia la fruta debe ser elegida de acuerdo con las preferencias de cada uno. ¿Prefieres la fruta con pepitas, como las manzanas, las peras o los membrillos, o por el contrario, eres partidario de la fruta con hueso como, por ejemplo, los albaricoques o las cerezas? ¿Los frutos han de ser dulces o prefieres un sabor un poco ácido, la pulpa debe ser recia o más bien blanda? ¿Comes fruta fresca en cantidad o te inclinas más por las mermeladas y confituras?

■ Infórmate además sobre las variedades de tu fruta preferida que mejor prosperan en el lugar que tienes previsto para ellas; también hay que saber si dispones del espacio suficiente para ese frutal.

■ Si quieres plantar varios árboles o arbustos, debes tener muy en cuenta los tiempos de maduración: elige las variedades para que maduren de forma consecutiva. ¡Si mezclas variedades de consumo fresco con otras que estén destinadas a almacenar, no te verás agobiado por una «oferta excesiva de fruta» que te obligue a trabajar de forma intensiva.

¿Patrón de crecimiento fuerte o débil?

Los árboles frutales se suelen injertar, esto quiere decir que sobre la raíz de una determinada variedad, el denominado patrón, se coloca una parte con yemas (o injerto) de la variedad deseada. El «lugar del injerto» está situado la mayoría de las veces algo por encima del cuello de la raíz, pero en el caso de las cerezas o de los membrillos, por el contrario, se sitúa por debajo de la copa.

La potencia del crecimiento de un frutal y su tamaño dependen, por regla general, del patrón elegido (véase la «Información Práctica» siguiente). Hay diferencias entre los patrones de semilla y los patrones tipo. En el caso de los primeros, la siembra se realiza a partir de pepitas o huesos. Crecen mucho y de ellos se obtienen árboles grandes y muy

Los arbustos de bayas son muy productivos. Hay que plantar variedades con distintos períodos de maduración.

Si los polinizadores florecen al mismo tiempo que las especies deseadas no habrá nada que se oponga a una cosecha abundante.

Sin fertilización no hay fruta

Hay muchos tipos o variedades de frutas que no son autofértiles y precisan de una polinización y la consiguiente fertilización gracias al polen de otra variedad. Por tanto, si compras un frutal o un arbusto de bayas en un vivero, deberás preguntar si la variedad que has seleccionado es autofértil por sí misma o no, así como las variedades de fertilización y polinizadores que son necesarios para estas clases que no son autónomas en ese aspecto. El «polinizador» puede encontrarse, al menos en teoría, en el jardín del vecino, pues lo único importante es que se trate de variedades de fertilidad compatible y que florezcan en el mismo momento. Aunque las plantas originales de kiwi en sus primeros tiempos eran no autofértiles, en los últimos años se han desarrollado variedades que sí lo son, como es el caso de la variedad «Jenny». Aunque la mayoría de los árboles de bayas son autosuficientes, lo cierto es que dan una cosecha mucho mejor si se plantan juntas diversas variedades.

longevos. Los patrones tipo se multiplican de forma vegetativa a partir de la colocación de injertos de estaca de los que se desarrollan pequeñas ramas bajas.

La descripción del patrón para los manzanos está compuesta por la letra M (*Malus* = manzana) y una cifra. En el caso de las cerezas, el patrón está compuesto por las semillas del cerezo silvestre o bravío (*Prunus avium*). Los albaricoques se desarrollan sobre todo a partir de injertos de patrones tipo del ciruelo damasceno. Las frutas de baya no precisan, por regla general, de ningún patrón.

¿Maduración temprana o posibilidades de almacenamiento?

Las variedades tempranas (con época de maduración a mediados o finales de verano) no aguantan mucho tiempo y deben ser consumidas poco después de la cosecha. Las variedades y los tipos de fruta de otoño e invierno se recolectan a finales de verano o principio de otoño, antes de que hayan madurado por completo (¡los frutos maduros se pueden recolectar de forma muy sencilla retorciéndolos por el rabo!). Después madurarán durante el almacenaje y alcanzarán su pleno aroma al cabo de unas pocas semanas de reposo.

Tolerante y resistente

Entre los diversos tipos de frutales existen también grandes diferencias en cuanto a la salud del árbol y su resistencia frente a enfermedades y parásitos. En todo caso siempre se deben elegir variedades que sean bien resistentes frente a las enfermedades, sobre todo si los suelos, el lugar o el clima no resultan ser óptimos para el frutal que deseas. También deberías preguntar por las variedades regionales disponibles en el vivero.

LA ELECCIÓN DE LOS PATRONES ADECUADOS PARA MANZANOS

- Un patrón de crecimiento débil (M 9, M 27) desarrolla unos cepellones pequeños, por lo que la absorción de nutrientes resulta escasa, y el árbol no crece demasiado.

- Un patrón de crecimiento medio (M 26, M 4, M 7, MM 106, MM 111) produce fuertes arbustos.

- Un patrón de crecimiento fuerte (M 11, MM 109, A 2) genera mucha raíz a través de la que puede absorber grandes cantidades de agua y nutrientes, y por tanto el árbol crece mucho.

Frutas y verduras en la terraza y el balcón

Lo ideal para el jardín de macetas es una orientación sureste o suroeste del balcón o la terraza. Te quedarás sorprendido de como todo, frutas, verduras y lechugas, prospera a la perfección.

Por suerte, casi todos los balcones y las terrazas suelen ser soleados o al menos están en penumbra, con lo que se satisfacen uno de los criterios más importantes en cuanto al cultivo de frutas y verduras. En muchas ocasiones, por medio de las fachadas de la casa, los muros o las divisiones laterales se genera un microclima protector que sirve de ayuda para muchas de las plantas útiles.

¿Qué crece en los balcones y las terrazas?

Lo que crece mejor en macetas y jardineras son las plantas que no tienen muchas pretensiones, pequeñas, compactas y de crecimiento rápido.

Las plantas que requieren muchos nutrientes, como la col, la calabaza, el puerro o los rábanos largos, no son muy apropiados, ya que sus necesidades, incluso aunque que se pongan en recipientes grandes, no quedan bien abastecidas.
También las verduras que tienen una fase de cultivo algo prolongada, como las zanahorias o el apio, no son muy adecuadas para el jardín formado a base de macetas.

Verduras en el balcón

■ Junto a los diversas clases de tomates pequeños y que crecen en forma de arbusto, como pueden ser el tomate de mata, el *cocktail*, el *cherry* o los tomates enanos, también puedes comenzar a plantar en macetas otras verduras de fruto como pueden ser las berenjenas, los pepinos y los

pimientos. Coloca esas variedades con altas necesidades de agua y nutrientes en macetas que tengan al menos una capacidad de diez litros.
■ Los rabanitos redondos, los rábanos largos pequeños y las variedades de guisantes pequeños, la remolacha roja, las espinacas y las acelgas tienen un tiempo de cultivo bastante corto; por lo que no hay ningún problema en colocarlas en tu jardín de macetas.
■ También la lechuga crece muy rápido en una terraza o un balcón si dispone de un microclima a modo de protección. En primavera tendrás las lechugas unas dos semanas antes de lo que lo harías en un jardín. En otoño también se adelantan entre diez y catorce días la cosecha de canónigos y lechuga rizada.

Frutas de maceta

Casi todas las variedades de fruta, en su correspondiente forma, se pueden colocar en macetas.
■ En el caso de frutas de pepitas o de hueso elige las variedades débiles y de forma pequeña, como los manzanos pequeños «Ballerina» o un manzano en columna (ver páginas 20 y 21).
■ Los arbustos de bayas en su forma de tronco alto son ideales para crecer en una maceta.
■ Existen fresas de dos formas para los huertos en maceta: las silvestres

Consejo

FRESAS BIEN VENTILADAS EN LAS ALTURAS

Lo ideal para un jardín de macetas son los fresales colgantes. Una vez plantados, el macizo se arrastra en horizontal por el suelo, pero si los colocas en un tiesto o una cesta colgante, o bien en las bolsas laterales de una maceta de tipo ánfora, desarrollarán unos estolones o vástagos colgantes que durante el verano y principios del otoño te proporcionarán una abundante provisión de frutos.

para macetas colgantes (ver «Consejo»), o bien las fresas trepadoras por alambres, como la variedad «Montana».

■ Los arándanos Cranberry y los arándanos rojos europeos plantados en maceta con tierra ácida de rododendro crecen la mayoría de las veces mejor y durante más tiempo que si vivieran en un jardín.

¿Qué sustrato es el apropiado?

El sustrato para las plantas en macetas y jardineras debe ser lo más ligero posible. Se ha de poder almacenar bien el aire y el agua y, al regar, no debe formarse barro.

■ Las tierras preparadas para flores o las tierras especiales para el jardín de macetas cumplen, la mayoría de las veces, con las condiciones previas necesarias.

■ Para las fresas, los tomates o los pepinos existen en el mercado tierras especiales.

■ Tú mismo puedes hacer una mezcla (1:1) a partir de una tierra preparada y un compost. Si además añades algo de granulado de arcilla, arcilla expandida o bien bentonita, entonces las raíces de las plantas recibirán siempre el aire necesario.

■ Si en tu «almacén de jardinería» dispones de sacos de sustrato, en cualquier momento podrás trasplantar las plantas que se hayan hecho demasiado grandes.

Macetas a montones

Según sean las plantas, se necesitarán macetas de muy diversos tipos (ver páginas 64 y 65). A la hora de la elección del recipiente, en cualquier caso debes tener muy en cuenta el tamaño final de la planta.

■ En el caso de plantas de raíz superficial, como podría ser la lechuga, es suficiente con recipientes que tengan unos diez centímetros de altura.

■ Las verduras de raíz profunda, como los tomates o la fruta abultada, necesitan recipientes muy estables con un diámetro mínimo de unos 40 cm y una altura más o menos similar. Puedes aumentar esa estabilidad si primero rellenas el fondo del recipiente con una capa de gravilla o arena, pues ambas cosas sirven bien como drenaje.

■ Todos los recipientes precisan de suficientes agujeros de desagüe para la eliminación de agua o por lo menos de una capa de drenaje (ver página 65).

■ Para los lugares que están a pleno sol resultan poco apropiados los recipientes hechos de un material de color negro, hojalata o metal, ya que se calientan demasiado. ¡Aquí son muy útiles los portamacetas!

Unas frondosas tomateras crecidas resultan muy apropiadas como hortalizas de balcón o terraza.

>PREGUNTAS Y RESPUESTAS

Consejos expertos acerca del proyecto

Antes de plantar un nuevo huerto de frutas y verduras debes tener en cuenta de antemano el proyecto de cada uno de los macizos, así como los frutales o arbustos de bayas que quieres plantar. A lo largo de esa planificación siempre te surgirán nuevas preguntas.

? Queremos plantar un pequeño jardín destinado a usos culinarios. ¿Qué plantas se recomiendan para que den el menor número posible de problemas?

Los rábanos redondos, los berros y las remolachas rojas son ideales para «novatos en horticultura». Incluso las judías verdes y las zanahorias crecen bien en cualquier terreno que no sea demasiado malo. Las lechugas rizadas y las de corte prosperan bien tanto en tierra como en macetas o cajas. Plantad en primavera lechugas comunes, romanas o de tipo iceberg, y en seguida podréis ser partícipes de vuestras primeras sensaciones de éxito. Los canónigos y la col rizada os proveerán, incluso en invierno, de una verdura muy saludable, y eso aunque no seáis muy duchos en temas de jardinería. En el caso de la fruta, lo más indicado son las fresas que, casi nada más plantarlas y sin apenas tener que hacer nada por vuestra parte, ya empezarán a suministraros sus dulces frutos. Plantad algunas fresas salvajes

(también llamadas frutillas silvestres) que podréis recolectar en verano y otoño. Los groselleros negros y los espinosos te suministrarán en verano, sin muchas complicaciones, sus agridulces bayas dulces y ácidas.

? Disponemos de un magnifico jardín de recreo de unos 1.000 m² con mampostería en seco, un estanque y un sitio para sentarse. Ahora quisiéramos poner algo de fruta y verdura, pero encontramos algo aburridos los clásicos macizos de hortalizas. ¿Qué es lo que mejor se adapta a nuestra idea?

Para la fruta y la verdura debéis disponer de una zona muy bien delimitada en un sitio que, en la medida de lo posible, sea el más soleado del jardín. Podríais, por ejemplo, preparar unos macizos cuadrados o alargados que resultarán fáciles de cercar con boj o lavanda, y colocar entre ellos un sendero con suelo de piedra natural, de forma que el color y el material se ajusten y entonen con la mampostería que ya tenéis. Como

lindes para la zona de huerta servirán unos arbustos de bayas o, para aislar, una espaldera de manzano de un máximo de 1,2 metros de altura. Si queréis construir un recinto para la verdura que sea extravagante de verdad y al tiempo fácil de cuidar, construid un bancal elevado, con una cerca de piedra natural que armonice con la mampostería y el pavimento del sendero. La zona para sentaros de la que ya disponéis se puede ampliar y enmarcar por medio de las ramas de un kiwi, pero siempre que la zona sea lo bastante cálida. Un único gran árbol frutal puede servir para aportar sombra sobre el banco donde os vayáis a sentar: ¡y siempre debe estar orientado hacia el estanque!

? Tengo un pequeño jardín delantero que da justo a la calle. ¿Podría plantar en él algunas verduras u hortalizas?

Si se trata de una calle con mucho tráfico y el jardín no dispone de un seto vivo que lo proteja del polvo y las emisiones de los automóviles, mi opinión es que no se trata de un lugar adecuado para plantar verduras. Sin embargo, sí puedes colocar un seto recortado que impida la llegada de suciedad y después preparar un par de macizos para plantar unas resistentes cebollas, legumbres de raíz y tubérculos. Lo mejor es que las verduras y hortalizas las plantes en un recipiente que esté lo más alejado posible de la calle, en casa o en un balcón o terraza.

? En un viejo jardín teníamos varios árboles frutales que, aunque florecían de forma maravillosa, no nos proporcionaban nada de fruta. Entretanto nos hemos mudado y nos gustaría plantar de nuevo frutales. ¿Qué hemos de hacer para que esta vez sí fructifiquen?

Que un frutal produzca o no sus frutos depende, en primer lugar, de que haya sido objeto de una polinización satisfactoria. La mayoría de las variedades de perales, manzanos y cerezos, así como algunos ciruelos de tipo normal, Mirabolano o Claudio son «heterofértiles», es decir, que para conseguir una polinización eficaz y la posterior formación de frutos necesitan del polen de otra variedad, que no puede ser cualquiera. Por un lado, las dos variedades en cuestión han de tener la misma época de floración y, por otra parte, para cada variedad de frutal existe un polinizador adecuado. Infórmate en tu vivero o comercio especializado de cuáles son las variedades más adecuadas que pueden servir de polinizadores para el frutal que deseas. Si no dispones en tu huerto de demasiado sitio para plantar con cada árbol su correspondiente variedad de polinizador, puedes

hacer en tu frutal uno o varios injertos de esa variedad. Los albaricoques, melocotoneros y guindos son autofértiles.

? Somos una familia de cuatro personas y comemos frutas, verduras y hortalizas, lo más frescas que sea posible. ¿Más o menos, qué superficie debemos calcular para el huerto si deseamos ser casi autosuficientes en cuanto al abastecimiento de vegetales?

Para un autoabastecimiento total de frutas, verduras y hortalizas hay que calcular, aproximadamente, unos 100 m² de superficie útil de jardín por persona, en vuestro caso serían, por tanto, 400 m². ¡Es un montón de terreno! Para repartir de forma adecuada la producción de esa parcela debéis destinar unos 160 m² a verduras y hortalizas; 80 para arbustos de bayas, y otros 160 m² para frutales. A pesar de que dispongáis de suficiente cantidad de terreno para un jardín culinario de esas dimensiones, no debéis olvidar que es necesario un mantenimiento adecuado. Si queréis estar un poco más tranquilos, bastará con que, en principio, dediquéis unos 25 m² de superficie de huerto por cada persona de la familia. ¡Siempre lo podréis incrementar a medida de vuestras necesidades!

? Tengo una terraza bastante pequeña en la que el sitio para las plantas debe compartirse con una zona donde poder sentarnos. ¿Cómo podría, a pesar de esas limitaciones, incorporar algo de fruta y verdura?

Para la colocación de la mayor cantidad posible de tiestos y macetas en terrazas y balcones existe una solución muy astuta: vitrinas y

estanterías para plantas en las que caben muchos tiestos colocados unos al lado de los otros y en filas verticales. En macetas de bayas con bolsas laterales tienes sitio para unas fresas salvajes y para lechugas rizadas. ¡Algunas plantas prosperan incluso en macetas y tiestos colgantes! Utiliza variedades de frutas, verduras y hortalizas que sean especiales para plantar en tiestos, es decir, que estén recomendadas para colocar en el balcón.

? Por primera vez en nuestra vida, somos los orgullosos propietarios de un huerto. ¿Cuál es la mejor forma posible de preparar un proyecto de cultivo?

■ Lo primero de todo es hacerse con un buen trozo de papel para dibujar en él un boceto de vuestro huerto. No debe ser demasiado pequeño para que, más tarde, podáis agregar las informaciones que consideréis más interesantes.

■ Después debéis preparar una lista con las verduras y hortalizas que más os gustaría cultivar.

■ Luego habréis de poner en claro para cada tipo de verdura el tiempo que debe transcurrir desde la siembra o plantación hasta la recolección, y apuntar ese dato en vuestro esquema del huerto. En cada uno de los macizos debéis anotar los meses que requiere su cultivo.

■ Ahora debéis buscar plantas que tarden poco en cultivarse para distribuirlas entre las que son de «crecimiento lento».

■ En la medida de lo posible, en los cultivos mixtos debéis colocar juntos a los vecinos más adecuados.

■ ¡Conservad ese plan para el año siguiente! Así evitaréis cultivar en un mismo macizo un tipo de planta igual o muy parecida a la del año anterior.

2

Prácticas

29

Preparación del jardín culinario

¿Tienes espíritu emprendedor y quieres empezar lo antes posible a plantar frutales, disponer bancales y crear todo un jardín de verduras? Para que todos tus esfuerzos se vean coronados por el éxito debes planificar y ejecutar cada una de tus acciones de acuerdo con un calendario.

En teoría, en cualquier momento puedes empezar a preparar un jardín con tal de que el tiempo atmosférico acompañe. Pero hay muchos trabajos que requieren hacerse en una época determinada.

Todo a su tiempo

Existen dos fechas en las cuales puedes preparar lo mejor posible tu jardín: la primavera y el otoño.

■ En primavera, cuando los primeros días cálidos hacen que retornen las ganas de trabajar en el jardín, el suelo se habrá secado tanto después de pasar del invierno que deberás renovar parterres y partes completas del jardín antes de poder comenzar a plantar árboles y arbustos.

■ En otoño también puedes decidirte a echar mano del pico y la pala; a partir de finales de verano, ya pasados los grandes calores del verano, resulta un tiempo muy adecuado para trabajar tu jardín culinario. Mientras que el suelo no se haya congelado, hasta bien entrado el otoño puedes plantar en los bancales tus árboles y arbustos. En un macizo preparado a fines de año puedes plantar lechugas y hortalizas que podrás recolectar en la primavera siguiente. Para mejorar el terreno, puedes hacer entonces un tratamiento de abono verde (ver página 42).

■ Según la cantidad de bancales que quieras preparar y de acuerdo con el tamaño que deban tener en conjunto, deberás pensar en dedicarles desde medio día hasta una semana completa.

¿Qué necesito?

Si sólo quieres colocar un único parterre nuevo (ver páginas 38 y 39), te bastará con las herramientas habituales de jardín (ver páginas 32 y 33). Sin embargo, si piensas en un bancal alto (ver páginas 40 y 41) o en un gran huerto, deberás disponer de bastante tiempo y del material apropiado para las cercas, la construcción de los senderos y toda la infraestructura que conlleva.

Ya sea un solo bancal o todo un jardín culinario, lo más importante para el buen crecimiento de las plantas es, una preparación óptima del suelo, así como también una mejora del mismo (ver páginas 34 y 35). Aquí también juega un papel muy valioso la utilización de un buen compost (ver páginas 36 y 37).

En una almajara o cama caliente (fotografía de arriba) o un bancal alto o de colina (fotografía de la derecha), podrás conseguir que la cosecha se adelante unas dos semanas.

CULTIVAR LAS PLANTAS >

1 Bandeja para semillero: apropiada para plantar las semillas de verduras y hortalizas.

2 *Jiffy-pots* (macetas hechas de compost), pastillas de turba prensada, tiestos: todo lo que resulte apropiado para la siembra de grandes simientes de verduras o para trasplantar grandes plantones.

3 Pulverizador: sirve para un riego suave y uniforme de la siembra.

4 Varas para plantones: facilitan los trasplantes de los pequeños plantones.

5 Sobres de semillas de la mejor calidad: de gran capacidad de germinación.

Medios auxiliares útiles para el cultivo

< PLANTAR FRUTAS Y VERDURAS

1 Rodrigón: fija y estabiliza los árboles altos.

2 Pala: para abrir los hoyos de las plantas y colocar los árboles.

3 Ligaduras de fibra vegetal o rafia: para sujetar los frutales a los rodrigones.

4 Almádena: para clavar bien los rodrigones.

5 Pala de mano: es una herramienta que facilita la colocación de las plantas de frutas y hortalizas.

6 Regadera: para el riego directo del suelo es mejor que no tenga colocada la alcachofa.

7 Cubo: para el compost o el humus y también para transportar el agua de riego de los arbustos.

PREPARAR LOS SUELOS

1 Laya (pala para remover la tierra): muy útil para mullir y trabajar el suelo, para remover con cuidado las plantas y para sacarlas durante la recolección.

2 Pala: indispensable para remover la tierra, plantar y trasplantar.

3 Cultivador: sirve para mullir con precaución el suelo plantado y facilita la eliminación de las malas hierbas.

4 Azada: imprescindible para un mullido superficial del suelo y para un escardado poco minucioso.

5 Rastrillo: nivela y alisa el suelo de las superficies plantadas o sembradas.

Unas herramientas adecuadas te facilitarán la realización de todos los trabajos que surgen en la horticultura. Las operaciones de sembrar, plantar, cultivar y podar ramas quedarán mejor que si las haces a mano. ¡Procura que tus herramientas sean de la mejor calidad!

CORTAR LAS RAMAS DE LOS FRUTALES

1 Tijeras de podar: para recortar ramas y brotes resistentes.

2 Podadera de mango telescópico: para entresacar desde abajo y con comodidad los árboles más altos.

3 Tijeras de jardinero: para cortar ramas delgadas.

4 Cuchillo: para repasar los bordes erosionados.

5 Sierra: para cortar las ramas gruesas y los nudos.

SOMBRERETES PARA LAS PLANTAS

Protegen las plantas jóvenes de las heladas tardías y permiten adelantar la época de recolección. Estos prácticos sombrerillos de plástico están disponibles en el comercio especializado. Disponen de una abertura de aireación para que no exista retención de humedad. Su material translúcido sirve para matizar la fuerte irradiación solar que no resulta demasiado recomendable para los sensibles plantones jóvenes. Se pueden colocar en muy poco tiempo.

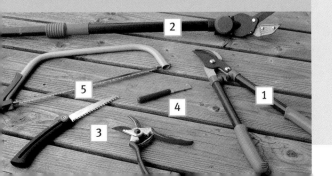

Un buen suelo: saludable y fértil

Un buen sustrato de jardín es la condición previa para un crecimiento adecuado de las plantas. Eso es lo que siempre se dice, pero ¿qué es un «buen» suelo? ¿Cómo se identifica? ¿Cómo se puede mejorar un sustrato de mala calidad?

Con una laya se pueden mullir y ventilar muy bien los suelos más difíciles.

La mayoría de las veces el suelo está compuesto por una mezcla de barro, arcilla y arena. Según sea el elemento que predomine, el suelo será permeable o duro, pobre o rico en nutrientes.

Para las plantas lo más importante son los 20 ó 30 centímetros superiores del suelo: la denominada capa de humus. Casi siempre tiene una tonalidad oscura y está formada tanto por minerales como por una gran cantidad de restos de plantas en descomposición. Una buena capa de humus debe estar suelta, con aspecto granulado fino, plagada de organismos vivos típicos del suelo y rica en nutrientes.

Los tipos de suelo

Dicho de una forma muy esquemática, los suelos se pueden clasificar en diferentes tipos.

■ **Suelos arenosos:** un suelo con una elevada cantidad de arena es suelto, permeable, se puede trabajar bien en él, se calienta muy deprisa y casi no hay que remover la tierra. Sin embargo, no dispone casi de componentes que puedan almacenar el agua y los nutrientes, por lo que en seguida se empobrece y seca.

■ **Suelos limosos:** se trata de un suelo cuyo mayor componente está formado a partir de limo y ofrece a las plantas una elevada oferta de nutrientes, además de almacenar muy bien el agua. También se calienta con relativa facilidad y, tras largos períodos de lluvia o en veranos muy húmedos, tarda cierto tiempo en secarse y ser apto para trabajarlo bien. Los suelos limosos son de dureza media, ricos en nutrientes y almacenan bien el agua y el calor; son bastante fáciles de trabajar.

■ **Suelos arcillosos:** los suelos con una elevada proporción de arcilla son ricos en nutrientes y almacenan muy bien el agua. Sin embargo, en primavera se secan despacio y trascurre algún tiempo hasta que se dejan trabajar bien. Se calientan con dificultad. Los suelos arcillosos tienden a encharcarse, se airean mal, son duros, poco ricos en organismos vivos y difíciles de trabajar.

Un test del suelo nos mostrará lo que hay que hacer

Para realizar un «test del suelo» toma en tu mano un puñado de tierra de jardín algo húmeda y apriétalo con el puño.

■ Si la tierra se mantiene conglomerada y no se separa, pero no se forma una bola dura, no encontrarás ningún tipo de dificultades con tu jardín: tienes un suelo muy bien estructurado y con un contenido de barro en el que todos los cultivos importantes se desarrollarán bien; se dejará plantar con gran fortuna por tu parte.

■ En caso de que, al presionarla, la tierra se separe, estarás ante un suelo muy ligero y rico en arena.

■ Si la tierra forma grumos duros, tu suelo está formado en gran parte por componentes barrosos y de arcilla.

Mejora de los suelos arenosos

Los suelos arenosos no pueden almacenar mucha agua y son muchas las ocasiones en que los abonos, y por tanto los nutrientes, resultan arrastrados y lavados. Por lo tanto debes poner en él la mayor cantidad posible de compost y otros materiales orgánicos para que, con el tiempo, se forme una capa de humus que almacene el agua. La roca pulverizada con contenido de arcilla (bentonita) mejora el almacenamiento de agua y nutrientes. El mullido colabora para que no se seque.

Mejora de los suelos arcillosos

A base de cavar o por la incorporación de material orgánico, como compost, hay que procurar que el suelo esté suelto y tenga una buena aireación.

En primavera y otoño incorpora carbonato cálcico o cal de algas. Esto activa la vida de la tierra y hace que las plantas puedan servirse de los nutrientes del suelo. Si remueves la tierra en otoño, el frío y las heladas del invierno contribuirán a separar las estructuras más sólidas del suelo. Por medio de este sistema *frostgare*, es decir, congelar el agua de la tierra (ver página 43), se puede generar un suelo de granulado fino. Los suelos muy duros o muy solidificados se mejoran de forma sencilla y rápida con un «tratamiento de abono verde» (ver página 42).

El compost, que debe ser incorporado de forma superficial, sirve para mejorar a largo plazo los suelos más livianos y pobres en nutrientes.

No tomarse a broma el ácido

Según sea el tipo de roca que forme el suelo, en él se pueden medir distintos grados de acidez en una escala que va desde el 0 (muy ácido) hasta el 14 (muy alcalino). En el mercado especializado existen diferentes reactivos para medirlo, así como unas varillas de test con las que se puede determinar de forma bastante fácil el grado de acidez, o medir el valor del pH, del suelo de tu jardín. La mayoría de las plantas de jardín se encuentran bien en la zona intermedia (pH 5,5 a 7,5).

- A un suelo con un pH bajo se le puede incrementar ese valor a base de, por ejemplo, una aportación ocasional de carbonato cálcico.
- En caso de un valor de pH demasiado alto, se deben utilizar en ocasiones unos abonos de efecto ácido, como el sulfato de amonio.

MANDA ANALIZAR TU SUELO

Si deseas obtener la información más fiable posible acerca de la tierra de tu suelo, envía una muestra de ella para que en un laboratorio haga un análisis del sustrato. Extrae, a una profundidad aproximada de 20 cm, una porción de tierra de unos 500 g de peso, colócala en una bolsa de plástico y ciérrala muy bien. ¡Infórmate de antemano sobre los precios y las prestaciones que te ofrecen!

> PRÁCTICA

Oro de jardinero: el compost hecho por uno mismo

El compost es genial. Por decirlo de alguna forma, recibes a coste cero un valioso abono de jardín y, además, de la forma más sencilla posible te deshaces de materias de desecho, tanto de la cocina como del jardín.

Un compost de primera calidad es ahora, lo mismo que antes, un sistema muy efectivo y barato para abonar el jardín. La preparación del compost hecho por uno mismo requiere algo de tiempo y trabajo, pero vale su peso en oro.

Con un poco de habilidad manual uno mismo puede preparar su «montón de compost». Claro que también dispones en el comercio especializado de unos silos ya preparados para el compost o termo-compostadores y compostadores rápidos de distintos tamaños.

A partir de los residuos se consigue un valioso abono

En el compost se pueden echar todos los residuos del jardín (a excepción, por supuesto, de los que estén invadidos por enfermedades), la hierba seca, las hojas, la paja, los restos de la poda de árboles y arbustos, así como los vegetales crudos que sean desechos de la cocina; sin abusar, también se le puede agregar papel cortado en trozos pequeños, servilletas de papel empapadas en agua, papel triturado

de periódico, cáscaras de huevo y las heces de animales pequeños como las cobayas o los hámsters.

Las cáscaras de las cebollas y los residuos de café crían muchos gusanos. Las partes enfermas de las plantas, los restos de la cocina que no sean crudos, el pan y las sobras de carne no deben ir al compost. Se enmohecen con mucha facilidad y atraen a roedores indeseables. ¡Tampoco hay que echar en el compost la arena de los gatos! Los organismos vivos pequeños y los microorganismos transforman el material orgánico bruto en un fino humus.

Buenas condiciones previas

Facilita el trabajo de tus auxiliares, proporciónales las condiciones más favorables que puedas.

■ El montón de compost debe estar en contacto con el suelo viviente para que los pequeños «ayudantes» puedan entrar con facilidad en él.

■ Para que el material no se seque, el compost no debe estar en un lugar muy soleado o ventoso. Los residuos sólo se descomponen si se mantienen húmedos, pero ¡no empapados!

■ Un buen «iniciador del compost» lo puedes tener con algunos puñados de un compost viejo y ya descompuesto que, como si fuera una «vacuna», proveerá a la pila de residuos de los necesarios seres vivos procedentes del terreno. En el mercado especializado también se pueden adquirir iniciadores y aceleradores del compost.

■ Para conseguir una eficaz descomposición de las sustancias que forman la pila de compost se debe conseguir una buena mezcla de todo el material del compost que se

---

Información

¿QUÉ HAY QUE HACER SI APESTA?

¡No te debe extrañar que ese montón de compost que tienes cerca del vallado de tu vecino se convierta en la manzana de la discordia en cuanto comience a difundir su desagradable pestazo!

■ Mezcla residuos secos y húmedos, gruesos y finos, verdes y pajizos. No los coloques muy apretados unos contra otros; de esa forma el montón de compost estará bien ventilado y no producirá mal olor al madurar y descomponerse.

■ Si observas que a pesar de todo comienzan las molestias por el olor, échale por encima un par de puñados de roca pulverizada (harina de roca).

haya incorporado (ver figura 1 e «Información»).

- En los meses muy secos y calurosos del verano debes, alguna que otra vez, regar con abundancia el montón de compost.
- Podrás acelerar la maduración a base de cambiar de sitio la pila de compost (ver figura 2), de agregar un iniciador de compost o enriquecerlo con estiércol de establo.

¿Cuándo se puede utilizar el compost?

- Después de tres a cinco meses desde la preparación del compost, si está bien mezclado se puede utilizar como compost crudo o fresco para mullir. El compost crudo contiene partes más o menos descompuestas, pero ya tienen algo de humus y cierta cantidad de organismos que pueden servir para dar vida a un suelo de mala calidad. Puedes echar compost crudo debajo de árboles y arbustos, en los frutales, entre las plantas de elevada exigencia de nutrientes (ver página 19), o bien en los parterres que ya hayan sido recolectados. No se introduce en la tierra sino que permanece sobre ella.
- Según la temperatura y el tiempo, pueden pasar de uno a tres años hasta que a partir de los «desechos» se forme un compost maduro, descompuesto y rico en nutrientes (ver figura 3), que podrás echar al suelo para mejorarlo.
- Pasa el compost por un tamiz (ver figura 4). Luego el material que será de un granulado fino, se debe extender, con un espesor aproximado de un centímetro, sobre los parterres y las superficies plantadas y trabajarlo de forma superficial con una herramienta para mullir, un cultivador o un rastrillo.

Bien mezclado
Al llenar un silo o controlar una pila de compost, preocúpate de que el material quede muy bien mezclado. Para que la descomposición tenga lugar de forma adecuada, los residuos deben estar bien ventilados.

Acelera el curado
Al cabo de tres a seis meses, o al menos una vez al año, deberás cambiar de sitio la pila de compost. Desplaza el material ya descompuesto a otro montón o silo de compost.

«Oro» de color pardo oscuro
El compost maduro tiene un agradable olor terroso, un tono pardo oscuro y un aspecto granulado. Sirve como nutriente y, además, reactiva los suelos y mejora su estructura.

Manipulación del compost
El compost maduro que vayas a utilizar para macetas y cajas deberás pasarlo por un tamiz para evitar que lleve fragmentos demasiados gruesos.

>> PRÁCTICA

Hacer un bancal de verduras a partir de un prado

En principio, cualquier momento es bueno para preparar un nuevo parterre de verduras. En primavera podrás plantarlo en seguida, pero en otoño la cosa resulta distinta, aunque en esa época el terreno se puede trabajar mejor.

ASÍ SE PLANTAN LOS ARRIATES DE VERDURAS

| E | F | M | A | M | J | J | A | S | O | N | D |

Tiempo necesario:
- Aprox. medio día.

Material:
Para mejorar el suelo:
- Según sea el tipo de suelo: arena, gravilla, humus, compost, cal o roca pulverizada.

Para el suelo de los senderos:
- Baldosas, listones de madera, corteza desmenuzada, madera troceada, guijarros, gravilla.

Herramientas y accesorios:
- Laya, pala, azada rotatoria, rastrillo.
- Cordel, estaquillas de metal o madera, arena, martillo.
- Carretilla.

¿Dispones ya de una superficie de macizos en la que hasta el momento han crecido girasoles o plantas vivaces y que, a partir de ahora, deben ser el nuevo hogar de tus hortalizas y verduras? ¿Hay un trozo de pradera o césped en tu jardín que desees convertir en el futuro parterre de verduras?

El lugar adecuado

En este momento ya tienes proyectado (ver página 10) el número de parterres de verduras que quieres colocar y el tamaño que deben tener.
Revisa de nuevo el lugar previsto para el emplazamiento del macizo de verduras.
- Los parterres de verduras y lechugas deben ir en el lugar más soleado del jardín. Si se los coloca en una zona en penumbra o de sombra total, seguro que no tendrás éxito.
- Si colocas los bancales en

dirección norte-sur, las plantas recibirán durante todo el día una óptima radiación solar.

Paso a paso para conseguir un parterre de verduras

Si quieres transformar tu parterre de flores en uno para plantar verduras deberás librarlo, con todo cuidado, de toda la vegetación que tenga, airear el suelo con una laya, incorporar el compost y a continuación allanarlo con el rastrillo. ¡Después de todo eso ya estará listo!
El paso de una pradera o superficie de césped a un parterre de verduras es algo más complicado.
- Al principio, el contorno limitado para el parterre se debe marcar por medio de unos cordeles atados alrededor de unas cuantas estaquillas de madera o metal (ver figura 1).
En caso de que el macizo sea circular, coloca una estaquilla en el centro y, con el radio que desees, utiliza un cordel como compás. Para marcarlo, espolvorea algo de arena en el borde del parterre.
- A lo largo de la marcación, retira los panes de césped en trozos pequeños y superficiales para no llevarte demasiada tierra con ellos. Luego sacude el cepellón con bastante fuerza sobre el terreno del que lo hayas quitado. Los trozos de césped retirados los puedes incorporar al compost. ¿O tienes algún lugar en el que te gustaría mejorar una zona de césped?
- Elimina de raíz y con toda meticulosidad las malas hierbas que

Así debe ser el aspecto del macizo
Marca con un cordel y unas estaquillas metálicas o de madera la superficie en que vaya a ir el parterre. ¿Puedes alcanzar bien, al menos desde dos lados, el centro del macizo? ¿Cómo encaja la forma y el tamaño del bancal en todo el huerto?

Preparar el suelo
Cuanto más profundo sea el mullido del suelo del futuro bancal, mejor para las plantas. Para suelos livianos bastará con usar el rastrillo para esponjarlos. Si los suelos son más pesados necesitarás utilizar una pala.

Enrasar la superficie
En un terreno que ya hayas mullido puedes utilizar la laya para incorporar los materiales de mejora del suelo. Después hay que enrasarlo bien con el rastrillo.

existan, como puede ser la grama, la angélica menor. Mejor aún, sustituye un buen trozo de suelo.

■ Si el suelo es ligero bastará con usar una laya para mullirlo. Si, por el contrario, es muy duro y firme, cávalo en profundidad y mejóralo a base de incorporarle arena o compost (ver figura 2). En otoño también puedes añadir estiércol fresco de establo o bien un compost aún no madurado para mejorarlo. Sin embargo, esos materiales nunca se deben utilizar en primavera si a continuación se van a sembrar o colocar las primeras plantas, pues las raíces se «abrasarían» con el abono fresco.

Lo que precisa el suelo de tu jardín para mejorarse lo puedes comprobar de la mejor forma posible por medio de un «test del suelo» (ver página 34), un análisis de prueba del suelo (ver

«Consejo» de la página 35) o una medición del pH (ver página 35).

■ Como conclusión, para los parterres de verduras que sean de alta exigencia de nutrientes puedes diseminar por el bancal algo de abono orgánico de larga duración o compost, rastrillar en superficie y dejar el parterre liso (ver fotografía 3).

Enrasa a conciencia la superficie con la parte posterior del rastrillo, y el bancal te quedará preparado para la siembra o la plantación.

■ Si no vas a sembrar o a plantar de modo inmediato, deberías cubrir la superficie ya preparada con una lámina de plástico. Eso protegerá el terreno de la proliferación de malas hierbas, de un secado extremo, de que los pájaros se revuelquen en la tierra o de convertirse en un lavabo público para gatos.

Estabilizar el parterre

Para mantener durante bastante tiempo la forma del parterre o para que desde la superficie circundante de césped o pradera no avancen las malas hierbas y penetren en el bancal, lo mejor es cercarlo.

Lo más sencillo es hacerlo con tableros, pero también se pueden utilizar bandas de plástico como las utilizadas para limitar el césped. En los jardines modernos, un cerramiento del bancal fabricado de metal brillante encaja muy bien. Entierra la cerca tan profunda como puedas, de forma que sus bordes superiores aíslen la superficie del parterre.

También los cercos de mimbre trenzado (ver fotografía página 13), las piedras o las separaciones hechas con verduras o arbustos de varios años de edad hacen que tu parterre conserve su buen aspecto y forma.

> PRÁCTICA

Muy productivo: bancales altos y con forma de colina

Los bancales altos o los que tienen forma de colina son más fértiles y ofrecen más cosechas que los parterres normales. Con su «panelado» se consigue en ellos un calor similar al de la putrefacción que se da en una pila de compost.

Con un bancal de colina o alto, la superficie de cultivo queda más elevada y eso ahorra, sobre todo a las personas mayores, el molesto esfuerzo de agacharse para plantar, escardar o recolectar.

Aún más puntos positivos

Además de la practicidad de la altura de trabajo (un parterre en forma de colina queda, poco más o menos, a un metro de altura), pues los bordes firmes de un bancal en alto se pueden colocar aún más elevados, los bancales altos y los que tienen forma de colina pueden ofrecer algunas cosas más.

■ Los diversos materiales colocados en capas en el interior pueden descomponerse con el tiempo, debido a la acción de los microorganismos, de una forma muy similar a lo que ocurre en un montón de compost. Al mismo tiempo, en la parte inferior de estos bancales se genera el calor de la putrefacción. Las verduras plantadas

consiguen una ventaja de crecimiento de hasta diez días con respecto a las colocadas en los parterres «normales».
■ Además, la gran cantidad de material orgánico que llevan en su interior hace que esos emplazamientos sean de una fertilidad especial. Los bancales altos y en colina pueden, en consecuencia, ser plantados varias veces a lo largo del año agrícola. En primavera, por ejemplo, puedes conseguir rabanitos redondos, zanahorias tempranas, acelgas y lechugas de corte. Luego, a principios del verano, le seguirán los diversos tipos de lechugas y puerros. En pleno verano colocaremos colinabos, escarolas y apios.
■ Otra ventaja adicional de los bancales en alto es que las verduras y las lechugas quedan a cierta altura y no pueden ser alcanzadas con tanta facilidad por los indeseables visitantes del jardín. Los caracoles y otros parásitos que se deslizan o gatean tienen mucho más complicado el camino para llegar a

las plantas situadas en los parterres altos, que a las plantadas en la mera superficie del suelo.
■ Otra ventaja más de los parterres en forma de colina es que te ofrecen mucho más espacio que un parterre normal, porque también se pueden plantar en los laterales.

Así se hace

Los bancales en alto y los de forma de colina se estructuran de la misma manera. Los altos son, sin embargo, mucho más duraderos puesto que se colocan en unas «cajas» estables.
■ Como en un bancal normal de verduras, en los altos y los de colina es mejor plantar en otoño o primavera.
■ Elige en el jardín un lugar que sea lo más plano y soleado posible y al que sea posible acceder por todos los lados.

Preparar la superficie 1
Fija el lugar adecuado y delimita la superficie con la longitud y anchura que desees. Elimina la hierba crecida que pueda haber y excava el subsuelo.

- Marca la superficie deseada para el parterre con estacas de madera y cordeles, y luego cava el suelo unos 30 centímetros. Retira a un lado los matojos de hierba, pues luego los podrás utilizar para el «relleno».
- Quien, a la hora de hacer un bancal alto, se quiera ahorrar la preparación de los bordes, puede comprar en la tienda de materiales de construcción o en un centro de jardinería una instalación de madera para compost y montarlo él mismo (ver fotografías 1 y 2).
- En el caso de un bancal de colina, apila el material; en el bancal alto rellénalo hasta los bordes (ver fotografía 3).
- La parte superior se hace a partir de una mezcla de tierra y compost preparado. El bancal alto (ver fotografía 4) debe quedar como una superficie plana; el bancal de colina llevará en la parte superior un surco para el riego, de modo que el agua no se escurra por los laterales. Cuando, al cabo de unos días, la tierra esté algo más asentada, ya podrás plantar. Riégalo con abundancia un par de veces para que el agua fluya en seguida por las capas del bancal que hayan quedado un tanto sueltas.

Cuando se hunde el material de relleno

Al descomponerse el material de relleno, los bancales se hunden año tras año. Por tanto, en primavera debes rehacer el relleno del bancal alto y el de colina con una mezcla de compost y tierra, o sólo de compost, hasta llegar de nuevo a la altura inicial. Al cabo de cinco años (en el caso de los bancales en forma de colina) o seis años (para bancales en alto) deberás poner al día la capa de relleno. Tendrás que reconstruir por completo la disposición por capas.

UN BANCAL ALTO PARA HORTALIZAS

E	F	M	A	M	J	J	A	S	O	N	D

Tiempo necesario:
- De medio día a un día completo.

Material:
- Estructura destinada al compost.
- Residuos vegetales desmenuzados, panes de césped, césped cortado, desechos de huerta sin descomponer, hojas, compost.

Para el suelo de los senderos:
- Estaquillas de metal, cordel, martillo.
- Pala, carretilla.

Construir los marcos de los bancales altos
Para los arriates altos ajusta con firmeza, de acuerdo con las instrucciones, los tableros de madera en los que va a ir colocado el compost. Protégelo de los topillos o ratones de campo con una fina alambrada que cubra toda la superficie del suelo y llegue hasta el nivel del segundo tablero del bancal.

Apilar el material de relleno
Las diversas capas deben ir en el siguiente orden: unos 30 cm de residuos vegetales desmenuzados; colocar encima 15 cm de panes de césped, césped cortado o desechos de huerta sin descomponer; después se pone una capa de 25 cm de hojas y encima otros 15 cm de compost semidescompuesto.

Dejarlo todo listo para la plantación
Para terminar, cubre todas las capas del bancal alto con una mezcla de humus y compost, a unos 30 ó 40 cm de altura. Enrasa la superficie con el rastrillo hasta conseguir una superficie de plantación llana por completo.

> PREGUNTAS Y RESPUESTAS

Consejos expertos acerca de los preparativos

Para la instalación y posterior plantación de una huerta hay que hacer unos preparativos: acondicionar el suelo, preparar el compost, trabajar los macizos para la plantación o siembra... Para todo eso te vendrán muy bien algunos consejos y trucos profesionales.

? **Desde hace ya año y medio cuido con todo cariño mi montón de compost. Ahora ya dispongo de una magnífica pila de compost maduro y quisiera utilizarlo para abonar mis cultivos. ¿Qué debo tener en cuenta?**

La utilización de compost de buena calidad sirve para múltiples aplicaciones en los huertos de frutas y verduras. Desde la primera preparación de los macizos de hortalizas, al comienzo de la primavera, al mullir el suelo le puedes agregar compost para mejorar los suelos y atender las necesidades de humus. Una vez que hayan crecido los plantones de hortalizas puedes incorporar como abono una capa de compost que tenga un centímetro de altura y trabajarlo un poco. Suele hacerse en primavera. Por lo general los cultivos deben proveerse con nutrientes en forma de compost maduro y eso ha de hacerse en la época de mayor crecimiento (como mucho a mediados de verano). Los frutales también agradecen que se los abone con el «oro negro de los

jardineros». Distribuye una capa de compost de uno o dos centímetros de espesor en los alcorques y bajo los arbustos de bayas.

? **Hace dos años que hemos edificado en nuestra parcela y ahora quisiéramos preparar un huerto. Sin embargo, el terreno es demasiado compacto. Después de llover el agua se queda estancada arriba. ¿Qué podemos hacer?**

Es muy probable que el terreno de tu jardín haya quedado muy endurecido y compactado por el paso frecuente de maquinaria de construcción y vehículos pesados. Si se forman charcos en cuanto empieza a llover, es señal de que es demasiado arcilloso. Te recomiendo, por tanto, que en primer lugar hagas una «cura del suelo» utilizando abono verde. Por ejemplo, en otoño o primavera en tu futuro huerto podéis sembrar campanas azules (también se llaman «amigos de abejas»), caléndulas («maravillas»), altramuces («lupinos») o una mezcla preparada con abono verde, por ejemplo, una mezcla de

Landsberg o trébol persa y alejandrino. Las raíces de estas plantas penetran con tal intensidad y profundidad en cualquier terreno que lo mullen y ventilan. Al cabo de seis meses de esta siembra se puede usar el cultivador para ahondar en la tierra, que ya contará con un saludable verdor. Después ya podéis empezar a preparar la superficie del terreno y plantar con normalidad. Si se confirma la hipótesis de que el suelo es demasiado arcilloso, debéis trabajar en la mejora del terreno con un material de estructura gruesa como, por ejemplo, un buen compost. Para que cualquier otra medida de fertilización y mejora del suelo esté asentada sobre una base sólida, también os recomendaría que acudáis a un laboratorio acreditado para que haga un análisis del suelo.

? **Queremos preparar un gran huerto con varios macizos y senderos. ¿Resulta adecuado un acolchado de cortezas desmenuzadas como suelo para los caminos?**

Recubrir con corteza desmenuzada los senderos de la huerta es una posibilidad para preparar los senderos con muy poco esfuerzo y a un coste bastante bajo. Sin embargo, no es una solución demasiado práctica.

- Para que sea una «solución duradera» deberéis reacondicionar los caminos con bastante frecuencia. Habrá que extender capas nuevas de corteza, pues el material, sobre todo si está seco, se encoge y, además, tiende de forma natural a descomponerse. Si el espesor de la capa está por debajo de los cinco centímetros, en seguida comienza el crecimiento de hierbas y gramíneas que atraviesan el recubrimiento y al cabo de poco tiempo el sendero tendrá un aspecto bastante descuidado.

- Si el material es demasiado seco, los caminos de corteza no suelen resultar cómodos ni seguros para andar e incluso el simple paso de la carretilla suele tender a hundirlos.

- Otra desventaja de la corteza desmenuzada consiste en que por debajo de los trozos sueltos el material mantiene mucha humedad, un ambiente muy apetecible para las babosas.

Yo os recomendaría que el sendero principal de la huerta estuviera recubierto de fuertes tablones, de un enrejillado de madera e incluso llegar a construir un pavimento bien firme de losas o empedrado.

☐ ? **Queremos preparar un arriate en alto, pero tememos que resulte muy seductor para los topillos y ratones de campo. ¿Cómo podemos evitarlos?**

Lo mejor que podéis hacer, antes de aportar el material del arriate, es revestir la superficie del mismo con una alambrada de malla muy tupida. Colocad el alambre hasta muy arriba de los bordes y, para que no se pueda desprender, lo sujetaréis a la madera del bancal con grapas o abrazaderas. Si queréis estar más seguros, colocad dos capas de alambrada y de esa forma evitaréis que los ratones ronden por vuestro arriate.

☐ ? **Se oyen cosas muy diversas acerca de los resultados de cavar la tierra. ¿Es oportuno o resulta más bien perjudicial?**

Por tradición, los macizos de verduras siempre se han cavado en otoño y esa práctica se ha asumido, sin más, desde hace mucho tiempo y sin que nadie haya investigado en cada caso particular el sentido de hacerlo. Desde entonces son muchas las opiniones y los consejos que ha despertado el controvertido tema de «cavar o no cavar». De hecho, lo cierto es que el cavado otoñal de un terreno muy pesado hace que mejore la calidad del mismo y en eso se basa el sistema *frostgare*, es decir, congelación del agua de la tierra.

Las heladas de invierno pueden penetrar en profundidad en las capas del terreno cavado y llegar a romper la estructura del suelo, que está muy concentrado y endurecido. En primavera ese suelo resultará más mullido y desmenuzado que antes.

Cavar en un suelo bien estructurado y rico en humus no parece muy razonable. La vida del suelo resulta interrumpida a causa de los constantes reajustes. La calidad de los suelos muy livianos empeora si se cava con asiduidad. Por tanto, lo del lema antes comentado de «cavar o no cavar» es algo que depende en lo fundamental de las características del propio terreno.

☐ ? **Quisiera preparar un parterre para arándanos Cranberry y arándanos rojos. He oído que necesitan disponer de un suelo ácido. ¿Cómo lo consigo de forma duradera en mi jardín?**

Tienes razón, esos arándanos, como típicos arbustos de baya que son, necesitan suelos ácidos para prosperar, es decir, con un pH entre 3 y 5. Si mides el valor del pH de tu suelo, por ejemplo, con un kit de tiras de test de los que venden en la farmacia o el comercio de jardinería, podrás asegurarte de que es de un pH bastante elevado para cultivar las bayas que deseas.

Lo más sencillo es colocar el arbusto de las bayas en una gran maceta de plástico y meter, tanto la planta como la maceta, en un hoyo en el suelo. Después puedes llenar la maceta con el sustrato que consideres adecuado para la planta. Puede servir, por ejemplo, una mezcla ya preparada de tierra para rododendros o plantas pantanosas, o bien una mixtura hecha por uno mismo con tierra de compost de corteza o un producto similar de turba. Si quieres cultivar varias plantas, hazte con una gran bañera de plástico, de las que se usan para el mortero, que tenga orificios de desagüe y procede de la misma forma que harías con una sola maceta. Después de algunos años podrás renovar sin ningún problema la tierra de los recipientes que hayas utilizado. A la larga, con esas soluciones tendrás mejores resultados que si te dedicas a poner sustrato ácido en los hoyos para las plantas.

La forma correcta de plantar

¿En invierno ya tienes decidido lo que vas a sembrar en tus bancales en cuanto a hortalizas y verduras, y qué variedades de frutas quieres plantar en tu jardín? ¿Te apetece empezar ya con el trabajo? No hay problema, pero siempre debes atender a un par de asuntos básicos.

Debes tener en cuenta si sientes preferencia por comprar plantones ya germinados o deseas hacer tú mismo la siembra y luego replantar las plantitas de lechugas y verduras. Da igual si colocas los arbustos de bayas y los árboles frutales en un contenedor o si cultivas los vástagos y plantones. ¡Utilizando trucos adecuados alcanzarás el éxito seguro!

¿Sembrar o comprar plantas jóvenes?

Si prefieres tener las verduras en el alfeizar de la ventana (ver páginas 49 y 50), o bien cultivarlas en el pequeño invernadero o en una cama caliente, a finales de invierno ya puedes comenzar con los trabajos previos para la organización del bancal. A los aficionados a las lechugas tiernas tempranas no suele suponerles ningún problema tener que hacer un poco de trabajo adicional: la construcción de una cama caliente (ver páginas 54 y 55), o bien el empleo de materiales textiles o plástico para hacer una cobertura para el jardín (ver páginas 56 y 57). Merecen la pena y suponen la seguridad de una cosecha temprana. Los tipos más robustos de plantas se pueden colocar de forma directa en el bancal (ver páginas 50 y 51), y eso resulta ideal para novatos del jardín, pues en seguida se obtienen muy buenos resultados.

Para los que no tienen espacio ni tiempo para los cultivos previos, el método que deben elegir es el de comprar plantones un poco crecidos; hay que hacerlo en primavera. Esto es recomendable si sólo se necesitan unas pocas plantas de una misma clase.

Para sembrar y plantar existen diversos métodos y trucos que pueden hacer más sencillo el trabajo en el jardín y con los que, además, el crecimiento es más seguro.

¡Saca lo mejor de tu fruta!

Los frutales comprados, da igual que sean a raíz desnuda, con cepellones o metidos en un contenedor, deben ser plantados en la época correcta y colocarse en el lugar adecuado; es necesario hacerlo todo de forma muy profesional (ver páginas 60 a 63).

Los arbustos de bayas suelen propagarse de forma bastante sencilla (ver páginas 52 y 53), de modo que los arbustos que ya se hayan hecho mayores y no produzcan mucho pueden ser sustituidos por plantas jóvenes que nosotros mismos hayamos cultivado.

¡Ya sea como siembra o con plantas jóvenes ya desarrolladas, con el know-how adecuado tus verduras mostrarán su más exuberante esplendor!

La calidad compensa

Entre los diversos productos para sembrar y plantar hay una gran variedad de productos de calidad. Por eso, a la hora de comprar arbustos de bayas o frutales, y dado que es algo que va a durar muchos años, debes escoger y examinar muy bien lo que te llevas.

Da igual que sean simientes o plantas ya crecidas: cuanto mejor sea la calidad del producto, mejor se desarrollarán después las plantas. Eso no quiere decir que las ofertas especiales sean, todas ellas, de mala calidad. Debes examinar siempre con mucho cuidado todas las simientes y plantitas (véase «Información» de la página 47).

¿Frutales a raíz desnuda o en contenedor?

En el caso de los frutales o los arbustos de bayas puedes elegir entre ejemplares a raíz desnuda, o bien plantas en contenedor o con cepellón; depende del presupuesto económico, del tamaño de la planta y del momento de plantación.

Con plantas en contenedor tendrás más flexibilidad en los plazos normales de cultivo.

Plantas a raíz desnuda

Lo más barato son los frutales y arbustos de frutas cuando los compras, en otoño o en invierno, como ejemplares «a raíz desnuda», es decir, con raíces al aire y sin cepellón.

■ Comprueba que las raíces no están dañadas, que no son demasiado cortas y que, por lo menos, haya tres de ellas que sean fuertes.

■ Los brotes y las ramas del árbol deben ser elásticas y no estar secas, y la corteza se mantendrá indemne.

■ Una etiqueta en la que figuren los datos de la variedad y la resistencia de la planta es también una característica de calidad a la que no se debe renunciar nunca.

■ Las plantas a raíz desnuda deben ser colocadas en tierra lo antes posible (ver página 60). Las raíces no deben dejarse secar.

Cepellones

Hay ocasiones en que los árboles grandes también pueden ofrecerse con cepellones. Esto significa que se entregan con un fardo de tierra alrededor de las raíces. Los cepellones de la raíz vienen sujetos con un paño de yute o bien con un alambre trenzado. Los cepellones, lo mismo que las plantas a raíz desnuda, se plantan en otoño, o bien en primavera.

■ Ten en cuenta que los cepellones (que bajo ningún concepto pueden ser demasiado pequeños) han de ser firmes y estables, y la tierra del interior no debe desmenuzarse con facilidad ni estar seca o suelta. En un buen cepellón las raíces no se caen a pedazos.

■ Los buenos cepellones también deben estar etiquetados con claridad

Las plantas jóvenes de lechuga, cultivadas antes en bandejas multi-maceta, tienen unos cepellones compactos y se pueden plantar muy bien.

- En ambos casos los cepellones deben ser compactos, estar bien arraigados y no verse demasiado secos.
- Si es posible, elige las plantas más fuertes; además de los cotiledones, deben tener de uno a cinco pares de hojas.
- Si las hojas son de un verde uniforme, sin manchas ni partes que sean más claras o bordes marrones, estarás frente a un claro indicio de que se trata de plantas sanas.

Semillas de calidad

El mercado especializado ofrece simientes estándar y simientes certificadas según las normas vigentes en cada país. La semilla certificada se obtiene de plantas elegidas y son bastante más fértiles (y más caras).

- En las bolsas de simientes no deben faltar datos como la fecha de sembrado, si son de germinación a la luz o a oscuras (ver página 48) e instrucciones para su cultivo.
- ¡Sobre todo debes tener muy en cuenta la fecha de envasado y de caducidad!

en lo que se refiere a la variedad y la resistencia.

Plantas en contenedor

Las plantas en contenedor tienen la gran ventaja, si se las compara con las de raíz desnuda o cepellón, de que se pueden plantar a lo largo de casi todo el año, a excepción, por supuesto, de los días de verano que resulten demasiado ardientes o en los más gélidos del invierno. Ésa es la razón por la que suelen resultar bastante más caras.

- Comprueba si el cepellón está bien arraigado y no queda muy apelmazado.
- Preocúpate de la exactitud del etiquetado.

Todo depende de la copa

En el caso de árboles frutales, una buena estructura básica de la copa es decisiva para conseguir un buen crecimiento. Por lo tanto debes tener en cuenta que el tronco tenga un brote central recto que forme el punto medio de la copa. De allí deben salir al menos tres ramas fuertes que después pueden unirse a

la copa del árbol en forma de ramas guía. En el mejor de los casos deben estar situadas de forma regular alrededor del brote central.

El plantel de huerta...

... se obtiene ya a mediados de invierno en los viveros, los centros de jardinería o los mercados especializados. Se ofertan por separado en cepellones de maceta o bien varias plantas juntas en bandejas multi-maceta.

(ver página 48)

Información

¡MUCHO OJO AL HACER LA COMPRA DE PLANTAS!

- ✔ ¿Las hojas y los brotes están exentos de manchas, erosiones, de una manifiesta decoloración o con huellas de haber servido de comida a los parásitos?
- ✔ ¿Las raíces no están dañadas, son claras, sin enredar ni estar secas?
- ✔ ¿Sus ramas, nudos y corteza presentan un aspecto sano, elástico y fresco?
- ✔ ¿Llevan una etiqueta con información sobre las especies disponibles y su resistencia?

> PRÁCTICA

Verduras y ensaladas de nuestro propio semillero

Muchas variedades de ensaladas y verduras germinan sólo a temperaturas entre los 18 y los 22 °C, o bien necesitan de unos largos tiempos de cultivo. Por lo tanto, no se deben sembrar directamente en el exterior, sino que primero hay que colocarlas en zonas con calor.

Si quieres plantar verduras en tu jardín o acortar el tiempo de cultivo de lechugas o colinabos, no tendrás más remedio que ayudar un poco a las plantas. Con tu propia «guardería» conseguirás ejemplares jóvenes más baratos y también disfrutarás del placer de seguir muy de cerca el crecimiento de los brotes.

ACELERAR EL CRECIMIENTO DE LAS PLANTAS

E	F	M	A	M	J	J	A	S	O	N	D

Tiempo necesario:
- De 15 minutos a 1 hora.

Material:
- Simiente.
- Tierra de cultivo.

Herramientas y accesorios:

- Bandejas para el semillero, tiestos, *jiffy-pots*, pastillas de turba prensada.
- Bandejas recolectoras de agua.
- Cubierta protectora, láminas de plástico, planchas de cristal o campana de cristal.
- Criba, estacas de madera, trasplantador de madera, pala de mano, pulverizador, etiquetas, lápiz.

Semillero al calor

El lugar óptimo para esos trabajos de aceleración del cultivo es un pequeño invernadero que se pueda calentar. La mejor alternativa es un lugar en una ventana clara y soleada; si es posible no debe colocarse sobre una calefacción, pues la temperatura resulta muy desigual y el aire está muy seco. En las tardes soleadas debes conseguirle sombra al semillero. El momento óptimo para realizar esta plantación tiene lugar a finales de invierno. En ese tiempo la intensidad lumínica es suficiente y los días se alargan un poco.

¿Dónde hay que colocarlo?

Las bandejas de semillero o los mini-invernaderos (ver figuras 1 a 4) son, por supuesto, los mejores recipientes. También resultan adecuadas las bandejas planas o las cajas de madera, las macetas de arcilla o de plástico y, por supuesto, los vasitos de helado o los recipientes de yogur.

La mejor opción es colocar las simientes más delicadas en unas bandejas planas. Las semillas grandes, por ejemplo, las de pepino o calabacín, deben colocarse de tres en tres en macetitas de arcilla, sobre pastillas de turba prensada, o bien en *jiffy-pots* (ver figura 3). ¡No ahorres en sustrato! Utiliza una tierra especial para sembrar que no tenga abono y que éste lo más exenta posible de componentes gruesos.

¿Germinación a la luz o a oscuras?

- Llena el recipiente del semillero con sustrato que luego presionarás un poco con ayuda de una tabla y después coloca por encima las simientes.

Lee en el sobrecito que las contiene si son de germinación a la luz o a oscuras; en el caso de germinación en la oscuridad cubre por completo la semilla con tierra. Ten a mano una criba, y así será más sencillo. En la germinación a la luz basta con presionar algo en la superficie del sustrato.

- Humedece la simiente de forma periódica con agua tibia; cubre la vasija con una caperuza protectora, una placa de cristal, una lámina o una campana de cristal.

- La vasija del semillero debe llevar una etiqueta con el nombre de la planta y la fecha de siembra. Coloca el recipiente en un lugar luminoso y cálido, a unos 20 °C. Controla todos los días la humedad del sustrato.

¡Ten en cuenta el calor y la humedad!

Hasta su germinación, las simientes deben estar húmedas y sometidas a un calor uniforme. De ninguna forma pueden secarse, pero tampoco han de estar empapadas. Tan pronto como germinen las primeras plantas, la tapa de protección del recipiente debe mantenerse algo abierta; coloca unos taquitos de madera debajo del cristal o bien haz unos agujeros en la lámina o la cubierta de plástico. En cuanto las plantas, con sus cóndilos, hayan formado más hojas, ya podrás retirar la cubierta protectora.

Las plantas necesitan espacio

Como muy tarde, cuando las plantitas ya hayan desarrollado dos o tres pares de hojas, estarán demasiado pegadas unas a las otras, se quitarán mutuamente la luz y se ahilarán. Con mucho cuidado ahora debes separarlas (transplantar) y cambiarlas del semillero a unos recipientes mayores o a macetas independientes (ver figura 2). Si al sacar las plantas con el trasplantador te llevas pegado algo de la mata vecina, ten mucho cuidado para no dañar sus raíces.

Sacar las raíces con cuidado

Cuantas menos raíces se dañen a la hora de colocar en el bancal, mejor crecerán las plantas pequeñas. Sembradas en macetas *jiffy-pots* o en pastillas de turba prensada (ver figura 3), o por lo menos trasplantadas allí, las plantas jóvenes pueden volver a ser plantadas junto a sus macetas. Las raíces se encaminarán hacia el suelo al crecer a través de las paredes de la maceta.

1 Sembrar correctamente
Reparte las semillas por todo el sustrato aplanado en que se vaya a hacer el cultivo; cuanto más uniforme sea el reparto, mejor. Humedece el cultivo a conciencia con el pulverizador y cubre bien el semillero.

2 Aísla los plantones
Levanta, una por una, cada una de las pequeñas plantas con un trasplantador y sácalas, junto con las raíces que irán envueltas en tierra. Despréndelas con todo cuidado y coloca cada una en un tiesto pequeño.

Plantar junto con sus tiestos
Si plantas grandes semillas en *jiffy-pots* de compost (a la izquierda de la fotografía) o en pastillas de turba prensada (a la derecha), más tarde podrás poner en el arriate los plantones junto con los tiestos.

Lo mejor: mini-invernaderos
Si colocas tus plantones en los habitáculos de un mini-invernadero, esas plantas disfrutarán de unos magníficos comienzos. ¡Nunca debes olvidarte de ventilar con periodicidad el invernadero!

4

> PRÁCTICA

Sencillo y fácil: siembra directa en campo abierto

En el caso de siembra directa en el campo, las verduras y las hortalizas germinan in situ. Puedes sembrar una vez que el suelo se haya caldeado y no se esperen heladas.

Para la siembra directa en bancales a cielo abierto resultan apropiadas todas aquellas plantas que requieren un tiempo de cultivo bastante corto. Pueden ser, por ejemplo, judías, guisantes, canónigos, acelgas, zanahorias, lechugas rizadas y de corte, rabanitos redondos, rábanos largos y espinacas.

¡Al parterre!

A la hora de la siembra hay tres puntos muy importantes que se deben tener en cuenta: una fecha adecuada para la siembra, que ésta se haga a la profundidad correcta y, por último, que exista la distancia necesaria entre las semillas. Por regla general se deben seguir unas pocas indicaciones.
- El suelo debe estar bien caliente. En suelos fríos las semillas no germinan y se pudren.
- Las simientes no germinan en suelos demasiado secos o húmedos en exceso.
- Afloja bien la tierra con una azada o un cultivador. Las semillas no son capaces de penetrar bien por superficies muy endurecidas.

¿Cuándo sembrar y a qué profundidad?

- Si te decides por la temporada de siembra más temprana que se puede hacer al aire libre y que se corresponde con los «santos del hielo» (a finales de primavera), te habrás colocado en el «lado de la seguridad» para todos los cultivos. En las bolsitas de semillas encontrarás datos precisos sobre el mejor momento para la siembra de las diversas clases de verduras y hortalizas.
- Para la mayoría de las verduras, la profundidad de sembrado está entre dos a cinco centímetros. De todas formas, siempre debes tener en cuenta las instrucciones de siembra de la envoltura de las simientes. En un suelo pesado que se calienta despacio es mejor sembrar a un centímetro más de profundidad de lo que recomienden las instrucciones.

Consejos prácticos

- Si tienes dificultades a la hora de sembrar porque no ves bien las semillas oscuras sobre la tierra, como primera medida deberás mezclar la simiente, antes de echarla, con un poco de polvos de talco.
- Las semillas que sean muy menudas (por ejemplo, las de zanahorias) pueden quedarse muy juntas a la hora de esparcirlas y se deben mezclar con algo de arena.
- La mayoría de las verduras germinan entre los cuatro y los catorce días después de plantarlas. Las simientes que necesitan más tiempo para germinar (por ejemplo, las acelgas) deberían ser mezcladas con «simientes de marcación» (por ejemplo, unos rabanitos redondos) para que las hileras sembradas se hagan visibles lo antes posible.
- Las semillas grandes, por ejemplo, las de las judías o guisantes, germinan mejor si las mantienes durante doce horas en agua templada y luego se colocan en el suelo mientras aún están húmedas.
- Protege tu siembra contra los fuertes rayos del sol, las heladas

La práctica siembra en hilera
Coloca un cordel para plantas entre dos estaquillas y sírvete del mango de un rastrillo o de una madera para trazar a lo largo de él un surco de siembra que tenga unos 2 cm de profundidad, en el que luego colocarás las semillas. Procura que no queden demasiado juntas.

nocturnas tardías, los chaparrones o la acción de los pájaros. Coloca cubiertas y ten en cuenta que, en el caso de siembra en nido, es necesaria la utilización de sombreretes para plantas.

Métodos de siembra

A la hora de sembrar en los bancales existen diversos métodos.

Sembrar a voleo

Sobre todo las plantas de hoja verde, así como las espinacas y los canónigos, pueden sembrarse sin más que esparcir la semilla a voleo sobre la superficie deseada.
- Para ello esparce las semillas de forma equilibrada con un movimiento de muñeca.
- Entierra un poco las semillas en la tierra utilizando el rastrillo y luego humedece toda la superficie del sembrado con una fina ducha.

Siembra en hileras y filas

La siembra en hileras, es decir, en surcos de siembra ya preparados (ver figura 1), se puede utilizar para casi todas las verduras.
- Respeta la distancia correcta entre hileras; lee las instrucciones de las bolsitas de las semillas.
- Cierra los surcos con ayuda del rastrillo y luego procede a regar de forma uniforme el sembrado.
- Un reparto uniforme de la siembra se consigue a base de las cintas o los rollos de semillas (ver figura 2); de todas formas su precio es algo más elevado.

Juntas quedan más estables

Las verduras que precisan mucho espacio como plantas aisladas, pero que no son muy estables, como las judías y los guisantes, necesitan un apoyo y también deben estar unas al lado de las

otras. Por lo tanto coloca las semillas en el suelo en los denominados nidos, a golpe o en hayes (ver la figura 3).

SIEMBRA DIRECTA EN EL PARTERRE

Tiempo necesario:
- De 15 a 60 minutos.

Material:
- Simiente.
- Puede necesitarse arena.
- Pueden necesitarse polvos de talco.

Herramientas y accesorios:
- Una azada ligera o un cultivador, un rastrillo, el cordel para plantas, estacas metálicas o de madera.
- Regadera.
- Recubrimiento de fibra textil o sombreretes protectores.

Cintas y rollos de semillas
Una forma magnífica de hacer una siembra uniforme sin necesidad de preocuparse por laboriosos trasplantes la proporcionan las bandas o cintas de semillas, que están colocadas sobre un papel especial y permiten que la simiente vaya en el surco a la distancia adecuada.

Siembra a golpe o en hoyos
Mete seis o siete semillas de judías, guisantes o pepinos en un hoyo de la tierra de forma que los plantones formen un grupo. Respeta la distancia entre los grupos que recomiendan las instrucciones de los sobres de semillas.

Sombreretes para plantas
Estos sombreretes de material plástico translúcido se pueden colocar en muy poco tiempo sobre las semillas que empiezan a brotar. Por ejemplo, si se anuncia una helada nocturna o quieres protegerlas de un sol excesivo.

51

> PRÁCTICA

Frutas en forma de baya; de una se hacen dos

La propagación de la fruta de árbol es bastante complicada y lo mejor es que dejes ese trabajo a un profesional. Sin embargo, uno mismo puede «reproducir» las bayas en el jardín de casa gracias a unos métodos muy sencillos.

Las bayas ofrecen muchas ventajas. Encajan en cualquier jardín por pequeño que sea, incluso en un balcón o una terraza. Un año después de plantarlas ya te ofrecerán sus primeros frutos y tienes formas muy diversas y sencillas para aumentar por ti mismo los arbustos de bayas.

Reproducir fresas

Al cabo de tres años, como mucho, las plantas de fresas se «agotan» y el tamaño y el número de los frutos se reducen de forma muy considerable. Por tanto, cada dos o tres años debes plantar un nuevo blancal con fresales. Y lo mejor sería hacerlo en un lugar distinto al anterior, así el suelo no se cansará y no desarrollará hongos o nematodos nocivos. Las fresas son muy fáciles de reproducir, ya que tras la maduración del fruto el macizo de raíces lanza unos largos estolones que reptan por el suelo y en cada uno de sus nudos se forman nuevas plantas, las plantas hijas o vástagos.

- De finales de primavera a principios de verano hay que quitar los estolones más fuertes que se hayan formado en la raíz de la planta madre. Desentiérralos con mucho cuidado y colócalos en un nuevo parterre o en una maceta (véase la figura 1); en todo caso debes cortar el resto de los estolones que queden a fin de no debilitar la planta madre.
- También se pueden poner en la tierra, sin más, unas pequeñas macetas rellenas de compost bien maduro. Luego se debe permitir que, de forma muy encauzada, los estolones crezcan y arraiguen en las macetas. Una vez que las plantas sean bastante fuertes, corta su conexión con la planta madre. Saca las plantas de la maceta y coloca los panes de tierra en el nuevo parterre.
- Riégalo todo bien. Las plantas jóvenes deben estar siempre algo húmedas.

Reproducir los arbustos de bayas

Para reproducir las bayas existen diversos métodos.

Acodar las puntas de los brotes

A principios de verano las moras, los grosells comunes y uva espinas se pueden someter a un acodo (ver figura 2).
- Mulle el lugar en el que se deba fijar el brote, coloca luego la tierra encima y mezcla con un poco de compost.
- Tuerce el propio brote y luego áncalo al suelo. En el lugar fijado debe haber unos nudos a partir de los cuales se desarrollarán las raíces y los nuevos brotes.

Información

UN SOLO FRUTAL, VARIOS TIPOS

- El propietario de un jardín en el que sólo haya sitio para un único frutal debe saber que en el comercio existen ciertos tipos de árboles en los que se reúnen más de una variedad. Son los dúos de frutales como, por ejemplo, el de manzanos («Idared» y «Golden Delicious»), perales («Williams Christ» y «Clapps Liebling») o cerezos dulces («Große Germersdorfer» y «Van»).

- En caso de falta de espacio en el jardín también puedes recurrir a un profesional para que injerte en un árbol dos o tres variedades distintas del mismo.

Quitar los estolones
Puedes dejar prosperar los estolones de los fresales en un viejo macizo de raíces para después desenterrarlos y plantarlos en un nuevo bancal. Si las raíces se tratan con mucho cuidado, los estolones crecerán en tiestos para luego plantarlos con cepellón.

Sujetar los acodos
Asegura los acodos al suelo, como unos 20 cm por debajo de los brotes, fijándolos con un par de horquillas de alambre, de forma que se apoyen en el suelo. Al cabo de unas semanas se habrán ido formado las raíces.

Clavar en el suelo los esquejes de la planta
Clavar los esquejes, uno junto al otro, tan profundos como sea necesario para que sólo sobresalgan del suelo dos o tres brotes. El año siguiente podrás plantar esas varas, que ya tendrán raíces, en un bancal mayor.

■ Cubre con tierra el lugar del anclaje. A lo largo de todo el verano debes controlar en varias ocasiones si los brotes se han asentado con la firmeza suficiente y tienes que mantener la humedad del suelo.
■ Al comienzo del siguiente verano ya se habrán formado las suficientes raíces y será el momento de cortar el acodo y luego colocarlo en el lugar que tengas previsto.

Colocar esquejes

En otoño se pueden cortar esquejes de frambuesas, grosellas negras, rojas y espinosas, y proceder de esa forma a reproducir las bayas.
■ Mulle y prepara el suelo del bancal previsto. En ocasiones podrás mezclar en ese suelo algo de arena (ver figura 3). Puesto que los esquejes se colocan muy juntos unos

de los otros, no precisarás de mucho espacio.
■ A principio de otoño, una vez que las plantas se hayan librado de sus hojas, corta los brotes de un año que ya hayan madurado, a unos 15 ó 20 centímetros. Los brotes a partir de los cuales cortarás los esquejes ya deben estar lignificados, es decir, deben poseer una corteza marrón del grosor aproximado de un lápiz y no han de poder doblarse. El corte en la parte inferior debe estar justo por debajo del nudo.
■ Introduce los esquejes en el bancal, muy juntos unos de otros. Permanecerán allí el tiempo que sea necesario hasta que tengan suficientes raíces.
■ Mantén siempre la tierra húmeda.
■ Al cabo de un año, los esquejes desarrollarán raíces y uno o dos

nuevos brotes. En ese momento sácalos con mucho cuidado de la tierra y colócalos en un nuevo parterre separados de entre 30 a 40 centímetros unos de otros. Los nuevos brotes deben ser cortados a unos dos tercios de su longitud, de esa forma desde la base ramificarán bien.
■ Al siguiente otoño puedes trasplantar las plantas jóvenes al lugar en el que vayan a permanecer de forma definitiva.

Estolones

A finales de primavera, las frambuesas forman plantas jóvenes a partir de sus estolones de raíz. En ese otoño o en la siguiente primavera puedes cortar con unas tijeras de jardín los estolones y plantarlos de nuevo.

> PRÁCTICA

Prolongar la época de la cosecha con una cama caliente

¿Tienes ganas de utilizar tu jardín culinario algunas semanas más allá de la temporada habitual del huerto y, por desgracia, no tienes espacio para un invernadero? ¡Entonces necesitas preparar una cama caliente!

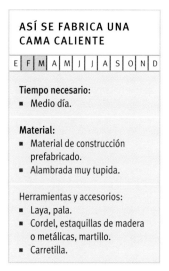

ASÍ SE FABRICA UNA CAMA CALIENTE

E	F	M	A	M	J	J	A	S	O	N	D

Tiempo necesario:
- Medio día.

Material:
- Material de construcción prefabricado.
- Alambrada muy tupida.

Herramientas y accesorios:
- Laya, pala.
- Cordel, estaquillas de madera o metálicas, martillo.
- Carretilla.

A partir de finales de invierno, con una cama caliente puedes colocar los plantones para obtener las primeras plantas de verduras u hortalizas, pero también puedes plantar los rabanitos redondos tempranos. Las variedades muy sensibles al frío, como los pepinos o los calabacines, deberán disponer de un lugar protegido incluso en las noches frías de verano. Y en otoño podrás hacer que allí crezcan lechugas o rabanitos redondos.

La cama caliente ¿construirla o comprarla hecha?

A partir de mediados de invierno, los días libres de heladas son los más adecuados para poder colocar una cama caliente. Depende de tu habilidad el que te compres una ya montada en el centro de jardinería (ver figuras 1 a 5), o bien que tú mismo la construyas a base de madera y cristal; también puedes utilizar una vieja ventana que mida, más o menos, 1 × 1,5 metros.

El tamaño adecuado

La caja para hacer la cama caliente debe tener de 30 a 50 centímetros de altura. La parte posterior debe ser al menos diez centímetros más alta que la anterior. Si se alinea hacia el sur o suroeste, el aire se calienta con más fuerza en la caja de la cama caliente. Además, con esa inclinación el agua de lluvia corre muy bien sobre la tapa y no se queda almacenado el rocío en ella. Las gotas de agua o rocío que pudieran permanecer sobre el cristal de la cubierta actúan bajo el efecto de los rayos solares como si fueran pequeñas lupas que «queman» las plantas que crecen debajo. En la práctica se ha comprobado que un ancho de la caja de 1 a 1,5 metros es suficiente y permite acceder muy bien a todas las plantas.

La longitud es algo que debes decidir por ti mismo. Para el abastecimiento de verduras y hortalizas de una familia de cuatro miembros puede bastar con una cama caliente que tenga cuatro metros de largo.

Así es como hay que actuar

- Elige un lugar en el jardín que sea lo más soleado posible, en el que vayas a colocar la futura cama caliente, de forma que se pueda alcanzar bien desde alguno de sus laterales y resulte fácil trabajar en ella; con una orientación este-oeste tendrás un mayor aprovechamiento de la luz.
- Define la zona en la que vaya a ir colocada la cama caliente. Delimita con un cordel y varias estaquillas metálicas o de madera la superficie que se va a utilizar (ver figura 1); comprueba una vez más el lugar y la orientación.
- Si el lugar elegido está cubierto por césped o es una pradera, deberás eliminar los panes de hierba. Cava la tierra hasta una profundidad igual a la de la hoja de la pala y luego múllela bien con una laya.

1 Elegir el lugar adecuado

Antes de empezar con el montaje, marca la superficie en que vaya a ir la cama caliente. Así podrás comprobar durante unos cuantos días si su posición y orientación obtienen una exposición solar adecuada.

■ Introduce en el suelo los bordes de la cama caliente de forma que penetren hasta unos cinco centímetros de profundidad (ver figura 2).

■ Si en el vecindario o en tu propio jardín hay topillos o ratones de campo, deberás proteger la parte inferior con una alambrada de malla fina.

■ Si tienes un buen suelo en el jardín, podrás utilizarlo como material de relleno para la cama caliente. Sin embargo, es mejor una mezcla de tierra y compost maduro. Mulle bien el suelo, rompe los terrones que sean más grandes y elimina de forma radical todas las raíces de las malas hierbas. Para acabar, intenta que quede una superficie bien lisa (ver figura 3).

2 ¿Todo controlado?

Coloca los laterales sobre el suelo mullido. ¡Vuelve a comprobar la orientación! Sujeta bien esos laterales, apretándolos con firmeza para que penetren en el suelo.

3 Rellenar

Rellena ahora con una buena tierra de jardín o una mezcla de tierra y compost. La superficie aplanada debe tener unos 15 cm de altura.

■ Ahora ya tienes bien preparada la cama caliente. No hay nada que te impida sembrar o plantar (ver figura 4). Ten muy en cuenta que la separación entre las plantas sea la adecuada. Mezcla ejemplares pequeños con otros de crecimiento mayor y así se ajustarán más en la caja.

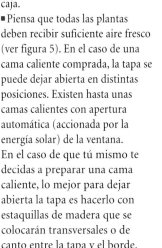

4 Colocar las plantas

A principios de primavera puedes colocar varias hileras de plantas de lechugas y colinabos; debe existir una distancia de 25 cm entre cada planta. De esa forman podrán prosperar muy bien ambas especies.

■ Piensa que todas las plantas deben recibir suficiente aire fresco (ver figura 5). En el caso de una cama caliente comprada, la tapa se puede dejar abierta en distintas posiciones. Existen hasta unas camas calientes con apertura automática (accionada por la energía solar) de la ventana. En el caso de que tú mismo te decidas a preparar una cama caliente, lo mejor para dejar abierta la tapa es hacerlo con estaquillas de madera que se colocarán transversales o de canto entre la tapa y el borde.

5 ¡Hay que ventilar!

En jornadas soleadas abre la tapa bastante y durante mucho tiempo; en días nublados levántala poco y durante breves espacios de tiempo. ¡No seas tacaño a la hora de ventilar!

Plantas debajo de plástico y cristal

Existe una gran cantidad de medidas que facilitan la vida al jardinero a la hora de sembrar y plantar, siempre que el clima lo permita; por supuesto, también se recolecta antes. Elige la que creas que es más adecuada para ti.

La siembra y el desarrollo de las plantas jóvenes se realiza de forma óptima si la humedad del suelo y de la atmósfera son uniformes y existe un calentamiento regular del suelo, el sustrato y el aire del entorno.

De primera categoría: el invernadero

Un aire templado y saturado de humedad ofrece las mejores condiciones de crecimiento, incluso para las plantas exóticas. Un invernadero cumple esas condiciones de forma perfecta. En un invernadero que se pueda calentar se podrá mantener el huerto durante todo el año. En el mercado especializado hay gran cantidad de ofertas para estos invernaderos: realizados a base de láminas de plástico o cristal, con ventilación sencilla o automática, posibilidad de calentarlo o no, así como de tamaños y precios muy variados.

La adquisición de un invernadero no es nada barata y debes disponer del espacio adecuado para colocarlo. Además, no todas las verduras son aptas para crecer en invernadero. Utiliza por lo tanto variedades que estén marcadas con una identificación que reconozca su idoneidad para el cultivo en invernadero. Para muchas de las variedades de campo abierto, el invernadero es demasiado húmedo y caliente.

Más barato: túnel de plástico, láminas de plástico o fibra textil

Si no disponemos de un invernadero, la posibilidad más sencilla, al menos a corto plazo, para conseguir ese «efecto invernadero», es la utilización de láminas de plástico transparente. Muchos cultivos como la lechuga, la lechuga de corte y la lechuga rizada, los rabanitos redondos o los rábanos largos, se pueden llegar a recolectar en primavera tres semanas antes de lo que se haría en un parterre sin proteger. Pero en el interior de una cubierta de plástico normal es muy posible que antes o después aparezca agua condensada que puede provocar la formación de moho. ¡Hay que ventilar! Pero esa operación, si el parterre cubierto es muy grande, puede resultar de una extraordinaria complicación. A la hora de regar también hay que retirar el plástico. ¿Qué pasa si las plantas crecen hacia arriba? El mercado

En un invernadero imperan las condiciones ideales para el cultivo de hortalizas.

El túnel de plástico o de fibra textil se debe abrir durante los días soleados para que el calor no quede retenido.

especializado dispone de buenas soluciones para esos problemas.

Láminas de plástico con agujeros y rendijas

Una alternativa a las láminas de plástico normales son las que incorporan agujeros y rendijas. A través de esas aberturas es posible un intercambio de aire y humedad, de tal manera que no se forma agua de condensación. En contraposición a las de agujeros, las láminas de plástico con rendijas tienen además otra ventaja: con el crecimiento de la planta las rendijas se abren cada vez más y la lámina crece con el vegetal.

■ Coloca la lámina suelta por encima del parterre. Entierra los bordes en la tierra o bien sujétalos con piedras o cualquier otro objeto pesado para que no se la lleve el viento.

■ A la hora de regar debe retirarse el plástico. Controla que las rendijas no están muy abiertas y, por motivos de seguridad, comprueba alguna que otra vez que el suelo de debajo también está bastante húmedo.

Fibra textil blanca

La fibra textil no es tan transparente como la lámina de plástico, pero es más ligera y deja pasar bien el aire y el agua. Por tanto, sí puedes regar encima de este material textil.

También crece a la vez que las verduras si se coloca flojo y no muy tirante por los bordes.

Por regla general, el textil se suele utilizar como protección contra las heladas: en el caso de frío se hiela la capa de agua situada sobre el material y esta delgada capa de hielo evita que

escape el calor almacenado debajo.

Un túnel para las verduras

Las hortalizas y verduras crecen debajo de los túneles de plástico en las mismas condiciones que en un invernadero. Esos túneles se pueden adquirir en cualquier comercio especializado. Se colocan encima del parterre plantado.

■ Fija con firmeza, separadas por unos dos metros y colocadas a ambos lados del parterre, las varillas flexibles de acero (en el comercio las puedes obtener de 2,5 a 3 metros de longitud para un parterre de 1,2 metros de anchura), de modo que formen un arco.

■ Luego lo mejor es colocar sobre las varillas una lámina de plástico con agujeros (para que deje pasar el agua y el aire) y anudarla en los extremos.

■ Si introduces una segunda varilla en los lugares en que las barras curvadas están metidas en el suelo, el plástico no podrá salir volando.

■ En los días soleados abre los agujeros del plástico y los dos extremos del túnel para que corra mejor el aire y aumente la ventilación.

> PRÁCTICA

Plantar de forma correcta las lechugas y las verduras

No existe ningún misterio en el tema de plantar verduras y lechugas: utiliza unas plantas que sean jóvenes y fuertes, procura que tengan unos cepellones muy bien formados y vigila que la altura de la planta sea la adecuada.

Las plantas de lechugas y ensaladas, ya sean compradas o germinadas por uno mismo, se pueden colocar en el parterre a partir de finales de invierno si se hace bajo un cristal o una lámina de plástico. Lo más tarde se debe hacer a principios de primavera y hasta entrado el otoño. Prepara de forma adecuada la superficie a plantar (ver páginas 38 a 41) y es mejor que hagas la plantación en las horas frescas, después de comer o por la tarde. Si lo haces en días de especial calor e insolación demasiado fuerte, las plantas jóvenes pronto se quedarán flojas y rendidas a pesar de haberlas regado de forma correcta.

Colocar los plantones

Antes de plantar debes tener en cuenta el espacio que se debe dejar entre cada dos plantas para no impedir su posterior crecimiento (véase «Especies» o consulta las instrucciones de la bolsita de simientes).
▪ Utiliza una pala de mano para excavar un hoyo que sea algo mayor y más ancho que el cepellón de las raíces (o la maceta en que esté el plantón) y coloca la planta joven lo más derecha que puedas.
▪ Rellena alrededor con tierra y apriétala con firmeza.

▪ Ahora hay que regar muy bien. Pero sólo se debe echar agua en la tierra de alrededor de las plantas y no en las hojas o los brotes; esto previene de una invasión de hongos de la podredumbre.

Plantar y ahorrar espacio

▪ Para las variedades de verduras delgadas y estrechas, como las zanahorias, los puerros o los rábanos redondos, la plantación se debe hacer en hileras (ver figura 1). Quedan más visibles y además se ahorra espacio.
▪ Con las verduras y las coles que crecen en anchura, y además precisan de mucho espacio, debe hacerse una plantación en forma de malla (ver figura 2). De este modo la distancia entre las hileras de plantas es más limitada, pero se mantiene una separación adecuada.

Plantación en hileras 1
Si plantas las legumbres en hileras, las podrás cultivar, regar o recolectar con gran comodidad. Si tiendes un cordel entre dos estacas formarás unas líneas rectas fenomenales.

Más sitio si plantas en red 2
Con la plantación en forma de malla o red, las plantas de la primera hilera no se colocan en paralelo una a una con las de la segunda hilera, sino que quedan desplazadas unas con respecto a las otras. Así siempre tendrás a tu disposición un hueco entre cada dos plantas.

Tener en cuenta la altura de la planta

En algunas variedades de plantas debes tener muy en cuenta la profundidad a la que hay que colocar la planta en el hoyo pues pueden ser de enraizamiento superficial o profundo.

■ En el caso de verduras con crecimiento en forma de roseta, como puede ser la lechuga o el apio, el «corazón de la planta», es decir, el centro de crecimiento en la zona media de la planta, es muy sensible frente a los diversos agentes patógenos de la putrefacción. Por lo tanto las plantitas no deben colocarse demasiado profundas (ver figura 3).

■ El colinabo debe ubicarse de forma que el cuello de la raíz no se asiente en la tierra, así se podrán formar muy bien los tubérculos.

■ Al plantar tomates hay que tener en cuenta que pertenecen a la variedad de enraizamiento profundo. Coloca la planta en el suelo hasta llegar a los primeros pares de hojas (véase la figura 4). De esa manera luego se podrán formar muchas raíces laterales. Sobre todo en las variedades de mucho crecimiento, en el mismo hoyo de la planta se deben colocar varillas de metal o madera que sirvan de apoyo y sostén a la planta.

■ Los puerros, los pimientos y las verduras de col que forman cabezas se desarrollan mejor si se entierran hasta el comienzo de las hojas.

Plantar cebollas

A partir de finales de invierno puedes sembrar cebollas, pero conseguirás mejores resultados si las plantas de principios a mediados de primavera. Así es menos complicado, pues no hace falta abonar el parterre ni trasplantar desde los semilleros.

PLANTAR LECHUGAS Y HORTALIZAS

E	F	M	A	M	J	J	A	S	O	N	D

Tiempo necesario:
■ Entre 20 y 60 minutos.

Material:
■ Plantones comprados o preparados por uno mismo, cebolletas para plantar.
■ Puede hacer falta compost descompuesto.

Herramientas y accesorios:
■ Pala de mano.
■ Cordel con estaquillas de madera.
■ Regadera sin alcachofa.

Las lechugas no deben plantarse muy profundas
Al plantar lechugas colócalas, sobre todo las que desarrollan cogollo, de la forma más superficial que puedas. El cuello de la raíz no debe quedar más de 1 cm dentro del suelo. De esa forma los plantones no se caerán ni llegarán a pudrirse de dentro hacia fuera.

Los tomates son plantas de enraizamiento profundo
Para plantar tomates debes hacer una excavación generosa a fin de que las plantas queden lo más profundas que sea posible. De esa forma desarrollarán gran abundancia de fuertes raíces laterales que luego servirán de suficiente sistema de apoyo para la planta.

Plantar cebollas
Aprieta las cebolletas para plantar mientras mantienes apuntada hacia abajo la parte puntiaguda, de forma que quede enterrada entre dos o tres centímetros. No se debe ver desde fuera el fino extremo del retoño. Plántalas en hileras y deja de unos 20 a 25 cm de separación entre cada dos plantas.

> PRÁCTICA

Las bayas tienen unas exigencias muy especiales

Si colocas de forma correcta los arbustos de bayas, las plantas generarán en seguida sus nuevas raíces y crecerán de la forma más adecuada. Así podrás contar a lo largo de todo el año con una abundante cosecha de estos frutos.

PLANTAR ARBUSTOS DE BAYAS

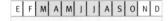

| E | F | M | A | M | J | J | A | S | O | N | D |

Tiempo necesario:
- Entre 20 y 60 minutos por arbusto.

Material:
- Arbustos de bayas.
- Puede hacer falta compost descompuesto.

Herramientas y accesorios:
- Pala, laya, pala de mano, regadera.
- Estacas de sujeción.
- Cordel, estaquillas de madera.

Los arbustos de bayas son unos verdaderos individualistas. A la hora de la verdad cualquier variedad tiene sus propias exigencias en cuanto al momento de la plantación, la profundidad del hoyo, la distancia entre plantas y el suelo en que se desarrollan bien. Por principio debes comprar las plantas después de haber preparado el lugar en que

las vas a colocar y estés dispuesto a comenzar con los trabajos. ¡Nunca debes permitir que se sequen las raíces! En caso necesario, deberás colocarlas en un cubo con agua.

Un caso especial: las fresas

Las fresas por regla general se colocan en verano plantadas en hileras. Las fresas salvajes (fresas colgantes) y las trepadoras se colocan en tierra, o en el recipiente correspondiente (ver página 24), a principios de primavera.
- Marca la hilera de plantas con un cordel. Deberás colocar las plantas separadas unos 30 centímetros.
- El hoyo para plantar fresas debe ser lo bastante grande a fin de que las raíces puedan colgar hacia abajo sin verse forzadas por el fondo del agujero. Ten en cuenta que las fresas son de arraigamiento profundo (ver figura 1).
- Luego rellena con tierra. Presiona la planta con ambas manos y riega bien la zona de las raíces con una regadera sin alcachofa.

Arbustos de bayas plantados con profesionalidad

Para la totalidad de los arbustos de bayas pueden considerarse como válidas algunas reglas básicas.

La época más adecuada para plantar

En un clima moderado lo mejor es plantar los arbustos de bayas a finales de verano para que las plantas jóvenes puedan enraizar muy bien, de forma que en la primavera extraigan de la tierra el agua y los nutrientes en cantidades suficientes y generar muchas hojas. En las zonas con inviernos muy crudos, la mejor época para plantar es a finales de invierno; las variedades sensibles al frío, como las moras, los kiwis o las vides, deben plantarse a principios de primavera. No crecen tan rápido como las plantas colocadas en otoño, pero estarán en peligro a causa de las heladas.

Mantener las distancias

No coloques demasiado juntos los arbustos de bayas. La distancia entre plantas debe ser la misma que se estime necesaria para los arbustos crecidos (véase «Especies»). Piensa que para cuidar de la planta y hacer después la recolección, deberás poder acceder al arbusto desde todos los lados.

Plantar de manera adecuada

- Cava con la pala un hoyo en el que haya espacio suficiente para las raíces o los cepellones. Por regla general suele ser suficiente con 50 × 50 centímetros.
- Mezcla la tierra que hayas extraído del hoyo con compost maduro; eso

servirá de mucha ayuda para que tu arbusto tenga un buen inicio.

■ Mulle las paredes y el suelo del hoyo para que las raíces puedan abrirse camino sin dificultad en su nuevo entorno.

■ Coloca las plantas bien derechas en el hoyo y separa las raíces. En el caso de plantas altas, deberás colocar ahora, cuando aún se ven las raíces, una vara de apoyo.

■ Luego rellena con tierra. Ten en cuenta que esa tierra ha de penetrar muy bien entre las raíces y no deben quedar grandes espacios huecos. Lo mejor es que riegues varias veces, una tras otra, y de esa forma la tierra se repartirá muy bien entre las raíces.

■ Al finalizar, riega todo con generosidad.

Arbustos de bayas con características especiales

■ Para plantar frambuesas (ver figura 2) se debe hacer en hileras. Prefieren un suelo algo ácido. Los nudos del brote bien visibles de la raíz deben quedar unos cinco centímetros por debajo de la tierra. Luego debes cubrir muy bien la zona de las raíces.

■ Para plantar grosellas (ver figura 3) todos los brotes deben quedar dentro de la tierra y de esa forma crecerán reforzados otros nuevos brotes. En este caso deben colocarse más profundos de lo que lo estaban en el vivero o la maceta.

■ Hay que tener en cuenta al plantar vides (ver figura 4) que necesitan un lugar cálido y protegido del viento. Es necesario plantarlas a unos 50 centímetros de distancia con respecto al emparrado y luego guiar los brotes en diagonal con ayuda de una vara hasta que lleguen a la espaldera.

Las fresas no deben colocarse muy profundas
Al plantar fresas procura que el botón central apenas sobresalga de la superficie del terreno; eso evitará que se pudran las hojas jóvenes.

Para plantar frambuesas se necesita una buena protección en las raíces
Cubre la base de las plantas de frambuesas con unos cinco centímetros de tierra, después los rizomas echarán cada año nuevas varas que estarán bien protegidas.

Las grosellas deben plantarse más profundas que cuando estaban en el semillero
Al plantar grosellas rojas y blancas debes ponerlas dos o tres centímetros (las negras incluso 10 cm) más profundas de lo que lo estaban en el tiesto, así prosperarán mejor.

¡Ten cuidado con la posición de los injertos!
Al plantar vides colócalas a 20 ó 30 cm de profundidad y algo inclinadas con respecto a la superficie del terreno. La posición de los injertos debe quedar a la vista a unos 5 cm del suelo.

> PRÁCTICA

La forma adecuada de plantar frutales

Plantar un frutal ya es de por sí un acontecimiento muy especial. El árbol va a estar durante muchos años en el mismo lugar y debe poder evolucionar bien y sin molestias.

Una vez plantado, el árbol frutal no debe ser cambiado de sitio aunque, a una edad más avanzada, arroje demasiada sombra sobre el parterre de flores o la terraza, porque sus raíces le arrebaten los valiosos nutrientes al bancal de verduras o porque el estanque del jardín se llene con sus hojas caídas. Es muy necesario hacer una planificación del proyecto con la vista puesta en el futuro.

El momento adecuado

Hay tres tipos de árboles frutales que se pueden adquirir.

- A raíz desnuda con las meras raíces sin tierra.
- Con un cepellón de tierra, que viene sujeto con saco de yute o una alambrada.
- A modo de plantas en contenedor, metidas en una maceta.

Los árboles frutales a raíz desnuda o los de cepellón se deben plantar en el otoño tardío, una vez que los árboles ya han perdido todas sus hojas. En ese estado ya casi no se evapora el agua y soportan de forma óptima el intervalo de tiempo necesario hasta la formación de las nuevas raíces. Las variedades de frutal sensible al frío, por ejemplo, albaricoques, melocotones o membrillos, es mejor plantarlas en primavera. Las plantas que vienen en contenedor pueden colocarse durante todo el año.

Si se colocan bien, ya estarán medio arraigadas

Los árboles frutales comprados a raíz desnuda o con cepellón deben ser plantados lo antes posible, de modo que de ninguna manera las raíces se puedan secar. De todas formas y hasta el momento de ponerlo en la tierra, el árbol deberá colocarse en una bañera llena de agua o bien anudar alrededor de las raíces un paño húmedo.

- ¡Lo mejor es plantar los árboles de dos en dos!
- Cava un hoyo de tamaño suficiente para que puedan entrar con comodidad las raíces y el cepellón. A excepción de los perales, cuyas raíces penetran mucho hacia abajo, todos los demás tipos de frutales desarrollan unas raíces largas pero muy superficiales, justo por debajo del terreno.

Consejo

¡VAMOS A LLEVARNOS BIEN CON LOS VECINOS!

Procura que al plantar tus frutales se respete de forma inflexible los límites de distancias del terreno. Puedes preguntar a la comunidad cuáles son los valores de los que puedes disponer sin faltar a la ley. A grandes rasgos se puede asegurar que un árbol de unos dos metros de altura debe quedar, más o menos, a dos metros de distancia del terreno colindante. Los árboles más pequeños deben estar separados al menos 50 cm de la valla del vecino. No obstante, esta distancia límite puede variar mucho según los países y, dentro de ellos, en cada una de sus regiones.

Desatar el paño de los cepellones
Al comenzar a colocar los cepellones deberás quitar el nudo que sujeta el saco y de esa forma evitarás que después se estrangulen las ramas. Compruébalo con todo cuidado, pues a veces debajo del primer saco hay otro más pequeño que casi no se ve.

Debe haber un apoyo
Para sujetar el pequeño tronco del árbol, sujétalo a la vara de sostén con ayuda de una cuerda hecha de fibra de coco o una cinta para árboles; hazlo dos veces con un lazo en forma de ocho sin que quede demasiado apretada.

Mantén húmedas las raíces
Tras la colocación de la zona de las raíces, realiza un acolchado para recubrir el alcorque o bien siembra en la base del árbol plantas de flor anual, como pueden ser las capuchinas o las caléndulas. Ambas especies mantendrán el suelo mullido y húmedo.

■ Afloja las paredes y el suelo del hoyo de forma amplia y generosa para que resulte fácil el crecimiento de las raíces.

■ Coloca ahora en el borde del hoyo, justo en el lado en que más sopla el viento, una fuerte vara de madera que sirva de apoyo y sostén al árbol durante los dos primeros años.

■ Ten muy en cuenta a la hora de plantar frutales que entre el tronco del árbol y la vara de apoyo haya al menos un palmo de distancia, para que de esa forma el tronco pueda crecer en anchura sin impedimentos. La estaquilla de apoyo debe ser tan larga como para terminar a unos diez centímetros por debajo de la copa. En el caso de arbustos *Spindel* y los de tipo boj pueden alcanzar incluso hasta la copa.

■ En el caso de árboles a raíz desnuda, deberás extenderlas muy bien en el agujero. No deben quedar dobladas ni tronchadas. En caso necesario, corta las raíces dañadas. En los árboles con cepellón, deberás desatar el paño de los cepellones o la malla que los rodea (ver figura 1).

■ Se fijará la posición de los injertos de forma que estén al menos a un palmo de altura sobre el suelo.

■ Rellena bien el hoyo con tierra y apriétala una y otra vez a medida que se llene. Lo mejor sería que lo regaras a medida que añades la tierra; así se repartirá muy bien entre las raíces.

■ Al finalizar debes regar a conciencia. Permite que el agua penetre bien. En las siguientes

semanas deberás regar el árbol con mucha regularidad.

■ Después de dos o tres días, una vez que la tierra ya esté bien asentada en el hoyo de la planta, deberás sujetar el tronco, sin apretar, a la vara de madera (ver figura 2). Durante todo el proceso de crecimiento deberás controlar que la cuerda no provoque lesiones en el tronco del árbol.

¡Proteger bien de la sequía!

Para que no se seque la zona de las raíces, recubre el alcorque del árbol (es la zona situada a un metro de diámetro alrededor del árbol) con unos tres centímetros de corteza, hojas cortadas o compost. También surte el mismo efecto la plantación de flores anuales de verano (ver figura 3).

63

> PRÁCTICA

Frutas, verduras y lechugas en jardineras y macetas

Con un jardín culinario en el balcón no vas a poder atender todas tus necesidades, pero dispondrás de una pequeña selección de verduras, ensaladas y frutas, y podrás disfrutar de ellas recién recolectadas. ¿Qué te parecería tener fresas colgantes, manzanos tipo Ballerina, tomates de *cocktail* o lechugas rizadas?

Para que las plantas de tu jardín de macetas crezcan y se reproduzcan bien, los recipientes deben ser grandes, tener abastecimiento de agua y de un sustrato rico en nutrientes, así como una adecuada capacidad de almacenamiento. No hay que dejar para lo último el saber que la ubicación del huerto debe ser la más correcta.

Cada planta en su recipiente adecuado

Como norma general, se debe afirmar que los recipientes han de ser grandes, de modo que las raíces encuentren el espacio necesario hasta que llegue el momento de la recolección de la cosecha. En las macetas hechas de arcilla suele formarse un microclima muy favorable para la evolución de las raíces de las plantas. Sin embargo, las macetas de plástico, sobre todo a partir de determinado tamaño, son más cómodas de mover y cambiar de lugar porque pesan menos.

Impide la retención de humedad
La arcilla expandida puede absorber una gran cantidad de agua y es por eso un material de drenaje excelente. Si colocas encima una delgada capa de fibra textil, al regar no se arrastrará a la capa de drenaje nada del sustrato.

La «prueba del espacio libre»
Somete a tus plantas a una primera prueba: ¿existe entre cada una de las plantas la distancia suficiente para que puedan desarrollarse hasta su tamaño definitivo y se puedan expandir en todas direcciones sin ningún tipo de impedimento?

¡Agua va!
Rellena el contorno de las plantas con la tierra sobrante, de forma que quede a una altura de un centímetro por debajo del borde del recipiente y apriétala con firmeza. Utiliza después la regadera sin alcachofa para regar directo en la tierra de alrededor de los cepellones de las raíces.

¿Maceta, bandeja, caja o cubeta?

■ Las lechugas son plantas de enraizamiento superficial, es decir, que no necesitan demasiada profundidad, y por eso se pueden plantar de forma muy adecuada en bandejas planas, las jardineras de balcón o bien en cajas de cartón revestido de plástico e incluso cestas.

■ Los tomates, los pimientos o las berenjenas crecen muy bien en macetas hondas de arcilla que tengan un diámetro mínimo de unos 40 centímetros. Esos recipientes ofrecen gran capacidad y la suficiente firmeza para albergar plantas de enraizamiento profundo y para la verdura de tamaño bastante grande.

■ En macetas o cestos colgantes, o macetas especiales para fresas, las fresas colgantes se desarrollan muy bien.

■ Los arbustos de bayas o los pequeños frutales se pueden colocar en cubetas grandes y firmes con mucho volumen de tierra (no menos de diez litros) en las que también se puede colocar una vara que le sirva de apoyo.

¿Está asegurado el desagüe?

Da igual el tipo de recipiente que utilices, es imprescindible que tenga un agujero de desagüe en el fondo para que pueda salir el agua sobrante. Si recubres el recipiente con una lámina de plástico, deberás practicar en ella algunos agujeros para que no se estanque el agua.

Tener los «pies empapados» conduce a encontrarse en seguida con unas raíces podridas y moribundas.

■ En los agujeros de desagüe de las macetas deberás colocar un trozo de arcilla o un guijarro grande, de forma que el agua pueda escurrir y salga, pero que con el tiempo no se escape la tierra por ellos.

■ Los frutales se deben colocar en recipientes grandes, pues estos árboles deberán crecer y desarrollarse en ellos a lo largo de varios años. Por ese motivo necesitan una capa de drenaje adicional (ver figura 1). Por tanto debes colocar una gruesa capa, que tenga al menos de dos a tres centímetros de espesor, de gránulos de arcilla expandida, grava o gravilla.

Así plantas tu jardín en macetas

Como sustrato lo mejor es que utilices una tierra preparada para plantas con una buena capacidad de almacenamiento de agua y nutrientes, o bien una mezcla de tierra de plantas y compost. En el mercado especializado también puedes encontrar tierras carentes por completo de turba, que son muy respetuosas con el medio ambiente y están formadas a partir de materias primas renovables. Son las más apropiadas para las lechugas y las verduras.

■ Rellena el recipiente con tierra hasta dos tercios de su altura, más o menos, y luego, a modo de prueba, coloca la planta para comprobar que dispone de la distancia adecuada (ver figura 2).

■ Si todo es correcto, sujeta con firmeza la planta con una mano y con la otra echa tierra alrededor y apriétala bien. Coloca la planta de tal manera que los cepellones dispongan de un espacio que sea cómodo para su evolución y de forma que ninguna raíz quede torcida.

■ Rellena el recipiente con tierra, pero no hasta el borde, pues al regar se desbordará. La cosa queda poco vistosa y además se dará una pérdida innecesaria de sustrato.

■ Riega cada una de las plantas (ver figura 3), es decir, agrega agua suficiente hasta que veas que sale por el agujero del desagüe. Luego hay que vaciar la bandeja de soporte del recipiente, que se habrá llenado de agua.

■ La maceta, jardinera o caja en la que acabas de plantar debe colocarse durante los primeros días en un lugar a la sombra para que, poco a poco, se acostumbre a los rayos solares.

PLANTAR EN JARDINERAS Y MACETAS

E	F	M	A	M	J	J	A	S	O	N	D
		M	A	M	J	J	A	S			

Tiempo necesario:
■ Entre 20 y 60 minutos.

Material:
■ Plantas jóvenes.
■ Recipientes con el soporte adecuado.
■ Material de drenaje.
■ Tierra para plantas que no tenga turba.
■ Compost maduro.
■ Puede necesitarse arena.

Herramientas y accesorios:
■ Pala de mano.
■ Regadera.

> PREGUNTAS Y RESPUESTAS

Consejos expertos acerca de las plantas

Algunas semillas se niegan, sin más, a germinar y ciertas plantas no crecen de ninguna forma. En cambio, los frutales recién plantados se cuidan por sí mismos. ¿A qué se debe eso? No te desanimes, pues para casi todos los «percances» hay consejos y trucos dados por los expertos.

? **Tengo un semillero plantado con colinabos. Las plantitas han germinado bien, pero ahora los tallos se han puesto de un tono marrón y están caídos. ¿Qué es lo que he hecho mal?**

Es muy probable que tus plantas hayan sido atacadas por la enfermedad denominada podredumbre del cuello o de las raíces (ver página 79) que afecta a plantas muy diversas. Pueden estar provocadas por diversos hongos y bacterias contenidas en los recipientes de las plantas, las macetas e incluso la tierra. Si los tallos ya han adquirido ese tono marrón y han empezado a inclinarse, ya es demasiado tarde para combatirlas. «Prevención» es la palabra mágica adecuada. Y eso empieza desde los preparativos iniciales de la siembra.
■ Preocúpate de la limpieza de las terrinas de siembra, el semillero, los recipientes de cultivo y las macetas, y lávalos muy bien con agua caliente antes de empezar a utilizarlos.
■ La tierra debe ser especial para el cultivo, fresca y reciente. No uses una que ya haya sido utilizada; si no tuvieras más remedio que hacerlo, desinféctala antes manteniéndola en un horno a 150 ºC.
■ No coloques las semillas demasiado juntas y separa los plantones a tiempo, antes de que se espiguen.
■ Mantén la tierra de siembra con una humedad uniforme que, sin embargo, no debe ser excesiva.
■ Como preventivo puedes pulverizar en la tierra una cocción diluida de equiseto o cola de caballo.

? **Hemos preparado un nuevo jardín y dentro de poco quisiéramos plantar algunos frutales. ¿Qué época es la más indicada?**

Si, como suele ser habitual, quieres plantar árboles frutales y arbustos que ya vengan con cepellón, la época más adecuada es el otoño, entre finales de verano y mediados de otoño, o la primavera temprana, entre finales de invierno y principios de primavera. Es importante que los arbolitos estén desprovistos de hojas y que ni siquiera hayan empezado a brotar, pues tales elementos de la planta necesitan y consumen mucha agua y energía, que es mejor reservar en beneficio de la formación de las nuevas raíces.

Los manzanos, los ciruelos y los cerezos se pueden plantar muy bien tanto en otoño como en primavera. Es recomendable que la plantación de perales y arbustos de bayas se haga en otoño, de esa forma tendrán tiempo hasta la primavera para producir con calma tanto las hojas como las raíces. La fruta que es más amante del sol, como las vides, los kiwis, los melocotones y las nectarinas, se deben plantar mejor después de lo que se conoce como la época de los «tres santos del hielo», a principios de primavera.

? **Después de haber obtenido en los últimos años unos resultados muy buenos con las matas de judías enanas, me he decidido a cultivar judías trepadoras. La capacidad de**

germinación de éstas ha sido muy escasa, por no decir nula, y se han muerto casi todas. ¿A qué puede ser debido?

Es muy probable que la calidad del suelo de tu jardín no sea la adecuada para ese tipo de judías. Las judías, en contraposición a las trepadoras, son plantas de muy pocas pretensiones en lo que se refiere a exigencias de suelo y ubicación. Crecen casi en cualquier sitio, si se exceptúan los suelos muy pesados o demasiado secos, y suelen dar buenas cosechas aunque vivan en penumbra. No ocurre lo mismo con las trepadoras: necesitan profundidad (sus raíces pueden llegar hasta los 1,5 metros por debajo de la superficie del terreno) y un suelo muy rico en humus. Si la superficie exterior del suelo es dura, tiene una costra de barro o está muy concentrada, tendrás dificultades para el cultivo y los tallos se marchitarán en el suelo.

■ Te puede ayudar un mullido en profundidad del suelo y una mejora del terreno con un tratamiento de compost bien maduro.

■ No olvides que antes de hacer la plantación debes eliminar del suelo los terrones demasiado voluminosos, alisarlo con un rastrillo fino y por último apisonarlo un poco. De esa forma las semillas dispondrán de buenas oportunidades iniciales.

? El otoño pasado planté un manzano de los de tipo de tronco bajo y no da señales de gran desarrollo. ¿A qué se puede deber?

Es muy probable que se haya dado una aparición de carencia de nutrientes en el manzano. Si quieres fertilizar de forma adecuada tu manzano, debes preocuparte de que el abono llegue también a las raíces finas. Las raíces gruesas de las cercanías del tronco sirven, sobre todo, para anclar bien el árbol al suelo. Las raíces finas se encargan de absorber el agua y los nutrientes que se encuentran en el suelo, justo en la vertical de los bordes de la copa. En otoño cava bajo esos bordes de la copa un hoyo circular de unos 10 a 20 cm de profundidad y llénalo con compost maduro mezclado con un abono mineral u orgánico. Cúbrelo todo con una capa de unos diez centímetros de acolchado grueso.

? He plantado coliflores en muchas ocasiones. La primera vez obtuve una magnífica cosecha, pero los años siguientes las plantas han sido muy mezquinas y sólo se ha producido la formación de cabezas muy pequeñas, casi ninguna de un tamaño adecuado. ¿A qué se puede deber?

Las coliflores pertenecen, junto con las lombardas, los repollos, las coles de Bruselas, las coles comunes o las chinas, el colinabo, los rabanitos redondos, los rábanos largos y otras muchas plantas de flor (antofitas), a la gran familia de las crucíferas. Cada uno de los parientes presenta una fuerte incompatibilidad con el resto de las plantas del mismo tipo y familia. Esto significa para jardineros y horticultores que para plantar tales especies es imprescindible respetar unas pausas de cultivo entre ellas. Una vez hecha la cosecha, durante los próximos tres años, o mejor cuatro, no se volverán a sembrar o plantar coliflores o cualquier otra crucífera en el lugar donde antes se recolectaron; si no se respetan esos plazos, las plantas decaerán en los macizos, apenas crecerán o se interrumpirá ese crecimiento y no proporcionarán ninguna cosecha digna de tal nombre.

También para las apiáceas (zanahorias, hinojo, apio) y las quenopodiáceas (remolacha roja, acelgas, espinacas) sirven las mismas pausas de cultivo en el mismo macizo.

Para que se recuperen y lleguen a regenerarse los bancales en que hayas plantado varias veces coliflores, que son muy exigentes de nutrientes, te recomiendo que hagas una «cura del suelo» a base de plantar caléndulas o *tagetes* antes de intentar de nuevo la cosecha de verduras.

? Tenemos unos bonitos recipientes de metal y hojalata en los que nos gustaría plantar verduras y hortalizas. ¿Debemos tomar alguna precaución especial?

En todo caso, lo primero que debéis tener en cuenta es que esos recipientes dispongan de los adecuados orificios de desagüe. Si no los tienen habrá que hacerlos con un martillo y un clavo bien grueso. Una plantación directa sobre metal u hojalata no resulta muy recomendable por distintos y evidentes motivos.

1. Las vasijas metálicas se calientan mucho y eso, por supuesto, no es muy adecuado para las raíces de las plantas.

2. Si los recipientes no están galvanizados, se corroerán de inmediato al contacto con la humedad. ¡Las raíces de vuestras verduras no prosperarán en una mezcla de herrumbre y tierra! Sólo se deberán utilizar esos cacharros como portamacetas; las plantas de verduras y hortalizas es mejor colocarlas en unos sencillos tiestos de plástico.

Trucos para el mantenimiento

Regar, abonar, acolchar, mantener a raya tanto a las enfermedades como a los parásitos, y proteger a las plantas de los fríos invernales; todo esto pertenece a los trabajos de mantenimiento de un jardín culinario. Si cuidas tus plantas con el *know-how* adecuado, tendrán un desarrollo y conseguirás una cosecha abundante.

¿Cuándo se deben regar y abonar las frutas y las verduras? ¿Con qué cantidad y frecuencia? ¿Qué material es el más adecuado para realizar un acolchado y, en realidad, por qué se debe realizar ese acolchado en el parterre? Con los consejos adecuados en cuanto al mantenimiento (ver páginas 70 y 71), estarás preparado de la mejor forma posible.

A pesar de que te encargues de realizar el mantenimiento pertinente, los fenómenos meteorológicos desfavorables, el lugar de la plantación o una reacción adversa con el suelo pueden llegar a provocar el estancamiento del crecimiento, y eso te hará sufrir grandes preocupaciones sobre tus plantas. Te vamos a proporcionar algún que otro consejo que no resulte demasiado costoso. Medidas sencillas, como por ejemplo una mejor estructuración del suelo con un acolchado (ver páginas 70 y 71), regar de forma preventiva con un cocimiento de ortigas, o bien tapar con una red para mantener alejadas a las molestas moscas de las verduras (ver páginas 76 y 77), pueden servir de ayuda inmediata con unos resultados fantásticos.

Lo bien podado crece mejor

Los frutales, ya sean arbustos de bayas o árboles, necesitan un lugar adecuado, suficiente de agua, un abonado correcto y otras medidas de mantenimiento para crecer saludables y ser productivos. Tanto una poda profesional (ver páginas 72 y 73) a fin de que la estructura de la copa del frutal, o la ramificación de los brotes del arbusto de bayas, se encamine por las vías adecuadas, como la eliminación de los brotes viejos, enfermos y débiles, son circunstancias que favorecen el crecimiento de unos brotes saludables.

El jardín en invierno

Si en el otoño tardío llevas a cabo algunos preparativos para la estación fría, como el encalado de los árboles frutales o una cobertura precisa (ver páginas 74 y 75), ayudarás a que tus frutales y arbustos de bayas aguanten mucho mejor el invierno. En la estación fría también podrás recolectar alguna que otra verdura, así como las fuertes lechugas de invierno, con tal de que hayan estado resguardadas bajo un túnel de plástico o colocadas en una cama caliente.

Si las frutas y las verduras están bien cuidadas, te podrás permitir una pausa para gozar con toda tranquilidad de tu banco favorito.

Lo esencial del mantenimiento: regar, abonar, acolchar

Las plantas jóvenes crecen muy bien en el bancal. Los frutales recién plantados muestran sus primeros brotes. Para que se desarrolle con su máximo esplendor se hace necesario un mantenimiento periódico y adecuado.

Regar y abonar, éstas son las dos medidas más importantes que debe adoptar un hortelano.

La regla de oro del riego

El riego diario te resultará muy sencillo y además ahorrarás agua siguiendo unas pocas pautas.

■ Lo mejor es que riegues durante las horas frescas de la mañana, o

Una instalación de riego automático es muy fiable a la hora de proporcionar a las plantas la humedad que necesitan.

bien ya por la tarde, una vez que haya bajado el calor; nunca se debe hacer si hay demasiada temperatura, pues gastarás agua que lo único que hará será evaporarse sin ningún provecho. Regar cuando la tarde está ya muy avanzada tiene la desventaja de que el suelo y las plantas permanecen húmedos durante la noche, lo que atrae a los caracoles y favorece las enfermedades provocadas por hongos.

■ Es preferible regar una vez de forma abundante que hacerlo en varias ocasiones pero con escasez. De esa forma el agua llevará humedad suficiente a las capas más profundas de la tierra.

■ Utiliza una regadera sin alcachofa para el suelo de la zona de las raíces de la planta. Las hojas que quedarían húmedas si se regaran con alcachofa, son un buen alimento para los nocivos hongos.

■ Las frutas y las verduras en macetas colgantes, así como las macetas y las bandejas deben ser regadas todos los días sin excepción, pues la capacidad de almacenamiento de agua de esos recipientes es muy limitada. Si se

queda almacenada agua residual en la bandeja de debajo de la maceta, debes eliminarla como muy tarde a la media hora de haber acabado de regar. Así se evita que haya humedad almacenada y se previene la putrefacción de la raíz.

■ Los recipientes de plantas cuyo sustrato se haya soltado de las paredes, deben ser introducidos de inmediato en un cubo lleno de agua caliente. Se mantendrán allí hasta que se observe que ya no suben más burbujas.

Ayudas prácticas para el riego

En el comercio especializado existen diversos métodos de riego con cuya ayuda puedes despreocuparte de tus plantas durante un par de días.

■ Para el jardín de macetas existen, por ejemplo, bolas de riego o alfombrillas que conservan la humedad, recipientes con reserva de agua, gel con almacenamiento de agua o sistemas de riego con conos de arcilla.

■ Los invernaderos pequeños y los bancales pueden dotarse de sistemas de riego automático. Pero también puedes, justo al lado de la planta, meter en la tierra boca abajo algunas botellas llenas de agua; es mucho más barato.

El agua ideal para el riego

Como agua para regar, lo más adecuado (y, al tiempo, más barato) es el agua de lluvia almacenada. Es «blanda» y no está demasiado fría. Si no puedes colocar un recipiente o tina para conservar el agua de la lluvia, la segunda posibilidad más adecuada es utilizar el agua del grifo. Una vez que la hayas usado, vuelve a llenar la regadera con agua fresca.

Los abonos multinutrientes orgánicos son de aplicación
universal debido a su equilibrado contenido de nutrientes.

Consejos importantes para abonar

▪ Respeta siempre las dosificaciones que se indican en el envoltorio.

▪ Si abonas a menudo y con menores cantidades, los nutrientes ofrecidos se distribuirán mejor que si haces un abonado ocasional con dosificaciones más altas.

▪ Nunca debes espolvorear el abono mineral sobre el suelo seco, pues provoca que las raíces se quemen.

▪ Abona siempre hasta mediados de verano, de esa forma las plantas podrán madurar mejor.

¿Qué abonos existen?

Para tu jardín culinario puedes echar mano de diversas formas de abono para cubrir las necesidades de alimento de las frutas, verduras y lechugas.

▪ **Los abonos inorgánicos o minerales** se producen con métodos químicos y en el mercado existen sobre todo en forma de abonos multinutrientes. Contienen, en relaciones muy equilibradas, todos los elementos nutritivos más necesarios para las plantas. Su efecto es más rápido que el de los abonos orgánicos. No obstante, es muy fácil sobrepasar las dosis adecuadas y, según sea el tipo de suelo, las plantas pueden tender a espigarse.

▪ **Los abonos orgánicos** (por ejemplo, harina de hueso, compost, guano o purín vegetal) actúan de forma lenta pero durante un espacio de tiempo más largo.

▪ Para los tomates, los calabacines, las calabazas, los pimientos, los frutales y los arbustos de bayas existe un abono especial orgánico, rico en potasa, con efectos a largo plazo, para realzar el sabor y aumentar el tiempo de almacenamiento. Infórmate en tu centro especializado.

El acolchado, un beneficio para las plantas y el suelo

Si acolchas el suelo de tu jardín, recubriéndolo con césped cortado y seco, paja, heno, hojarasca, compost semimaduro, o bien con trozos de corteza (sólo debajo de los árboles frutales), la planta tardará más en secarse, mantendrás a raya las malas hierbas y en el suelo se formará una vida muy activa.

▪ Acolcha sólo de forma superficial (de dos a cinco centímetros), pero en varias ocasiones.

▪ La hierba cortada debe dejarse secar muy bien antes de que sirva como acolchado para los parterres.

▪ Si cubres la tierra por debajo de las fresas, las calabazas o los calabacines con paja o viruta de madera, los frutos se mantendrán limpios y sanos a pesar de que caigan fuertes aguaceros.

Consejo

LA LUCHA CONTRA LOS HONGOS CON UNA DECOCCIÓN DE EQUISETO

Hazte con 1 a 1,5 kilogramos de trozos de hojas de equiseto o cola de caballo que no estén demasiado triturados. Déjalo durante unas 24 horas en remojo con diez litros de agua y después dale un ligero hervor durante 15 ó 30 minutos. Deja enfriar la infusión y cuélala. Pulveriza las plantas con una disolución del cocimiento en agua (proporción 1:5). Este caldo te servirá para prevenir el ataque del mildiu y otros hongos.

> PRÁCTICA

Podar los arbustos de bayas y los frutales

Los árboles frutales y los arbustos de bayas permanecerán más saludables, fructificarán durante más tiempo y sus frutos tendrán mejor calidad si les haces una poda de forma periódica y profesional.

Todos los procesos de poda (a excepción del aclarado sistemático de las ramas viejas y los brotes) requieren de cierto entrenamiento. Lo mejor es aprenderlo a base de participar con frecuencia en cursos especiales dedicados a la poda de frutales que suelen ofrecer las asociaciones de horticultura y jardinería y los viveros.

¿Por qué y cómo podar?

Los árboles frutales que no se podan con el tiempo acaban por formar unas copas espesas y desordenadas; en el caso de los arbustos, al final sólo ofrecen frutos escasos y pequeños. Si hay muchas ramas y hojas, la fruta no recibe luz ni calor solar en cantidades suficientes y la maduración es defectuosa. Las copas de los árboles y arbustos con muchas hojas tardan mucho en secarse después de llover, lo que abre un fácil camino a muchas enfermedades provocadas por

hongos. Si no se eliminan las ramas envejecidas, es decir, no se hace una «poda de rejuvenecimiento», los arbustos (ver figura 2) no formarán más que unos escasos brotes nuevos.

Cada tres años, como mucho, deberías eliminar de los árboles y los arbustos los brotes más viejos, y de esa forma llegará más luz a la copa y al interior del arbusto.

Crear un buen fundamento

La práctica de una poda profesional es lo más importante para los frutales, y supone la base necesaria para un buen crecimiento.
■ En el caso de los arbustos de bayas, a la hora de plantarlos deberás cortar por abajo de tres a cinco tallos fuertes, que después, al crecer, servirán para hacer las veces de armazón o estructura básica del posterior arbusto. Reduce esos tallos a la mitad o la tercera parte de su tamaño para que pronto ramifiquen bien por abajo.
■ Con la poda de los frutales (véase la figura 3) determinas la forma de

la futura copa del árbol. Para los frutales jóvenes que tienen de cinco a siete tallos anuales, elige tres de los más fuertes que estén colocados de forma uniforme alrededor del tronco. Formarán el armazón básico para la posterior copa del árbol. Corta los tallos a la mitad o la tercera parte de su tamaño. Ten muy en cuenta que la yema superior de cada tallo mire hacia afuera, pues en caso contrario la planta crecerá hacia dentro. También hay que podar el tallo central, el que está en la prolongación del tronco. Debe realizarse por encima de los brotes

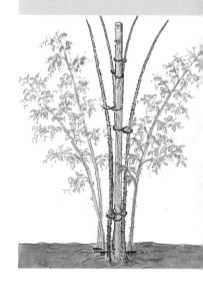

Un caso excepcional: las frambuesas
Para podar las frambuesas corta las varas a ras de suelo en verano, después de haber recolectado los frutos. Deja sólo los tallos jóvenes que parezcan más fuertes; de esa manera conseguirás una mejor fructificación.

laterales cortados, de modo que una línea imaginaria trazada desde la punta del árbol hasta los brotes laterales baje en forma de tienda de campaña con un ángulo de 90 a 120° (ver figura 3).

Mantener la forma

Mantén la forma del armazón de la copa que habías previsto al colocar la planta con las podas anuales que constituyen la denominada poda formativa (ver figura 4): elimina todos los brotes que hayan crecido hacia dentro o muy inclinados hacia arriba, además de los que crezcan justo debajo del brote de la punta (brotes de competencia). Ten muy en cuenta que el brote central ha de estar lo más centrado posible y crecer recto, de modo que el árbol no quede torcido ni crezca de forma irregular.

No dejar que «sangre» el árbol

Los árboles de fuerte crecimiento deben ser aclarados todos los años o al menos cada dos. Esto se realiza en verano. De esa forma, después del proceso de poda los árboles ya no crecerán con tanta fuerza como lo harían si la poda tuviera lugar en primavera.

Además, la presión de la savia en esos momentos es mucho menor. En particular, los cerezos pierden mucha savia («sangran») con la poda primaveral y esto puede debilitarlos y hacerlos propensos a las enfermedades.

Podar los arbustos de bayas después de la cosecha

En el caso los arbustos de bayas, lo mejor es que elimines los brotes justo después de la recolección (ver figura 1). Tus arbustos de bayas también deben ser podados todos los años.

Poda de rejuvenecimiento de las grosellas
A mediados o finales de invierno, o poco después de la cosecha, corta a ras de suelo los tallos principales de más de cuatro años de las grosellas rojas o blancas. Reconocerás los tallos más viejos por su coloración gris pardusca.

El corte de las ramas de los frutales
Para conseguir un crecimiento uniforme de la estructura de la copa, elimina todas las ramas laterales a la vez y deja sólo tres de ellas. Las que queden deben ser fuertes y estar inclinadas al menos en un ángulo de 45° con respecto al brote principal.

Poda «formativa» de los frutales
Elimina todos los tallos que ejerzan competencia, así como los que tiendan a crecer demasiado en vertical hacia arriba. Corta todos los restantes para que queden a un tercio de los que hayan crecido al renovarse. La yema superior del tallo central debe señalar hacia fuera.

> PRÁCTICA

Consejos de invierno para las frutas y las verduras

Los bancales están casi despejados, la fruta recolectada. Ahora sólo hace falta preparar una protección frente al invierno para los árboles y arbustos. Y aún se puede recolectar alguna que otra verdura o lechuga fresca.

En la mayoría de los árboles frutales, y en muchos de bayas, el invierno no debe preocuparte, sobre todo si tienes plantadas variedades adaptadas a la región. Sin embargo, las especies de verduras de invierno que necesitan calor deben recibir una protección especial, lo mismo que se hace con las plantas del balcón o la terraza.

¿Recolectar en invierno?

Los canónigos (ver figura 1), la coclearia o la hierba de la cuchara, así como la roqueta y la escarola se pueden recolectar en el parterre hasta mediados de otoño e incluso después de ese mes. Una ligera cobertura para la nieve protege muy bien las lechugas contra las bajas temperaturas. Cubre el parterre con ramas secas o un producto textil, o bien monta un túnel de plástico; de esa forma las plantas crecerán bastante bien sin importarles demasiado las nevadas o heladas. Las verduras amantes del calor como, por ejemplo, las alcachofas (ver figura 2), pueden permanecer en el bancal protegidas por una gruesa capa de hojas o paja, o bien bajo una cubierta realizada con ramas secas.

En el caso de verduras de la familia de la col, existen unas variedades especiales de invierno que precisan temperaturas de algunos grados bajo cero para que se forme su aroma. Una tradicional verdura de invierno muy consumida en Europa Central es la col común, que se puede recolectar hasta mediados de invierno. Coloca las plantas en un parterre en penumbra para que durante el invierno la col no se eche a perder por la radiación solar del día ni por las heladas de la noche. También las coles de Bruselas pueden permanecer en los parterres y te ofrecen sus rosetas hasta la Navidad, siempre que no haya demasiada nieve. No las coseches, si es posible, si hay una gran helada: la col congelada precisa de mucho tiempo para descongelarse. También son muy resistentes al frío las variedades invernales de puerro. Entierra las varas tanto como te sea posible y luego cubre toda la plantación con una capa textil o con ramas secas.

Proteger los frutales

Los frutales precisan de menos protección ante los fríos y los hielos que frente a un sol muy ardiente; con la excepción, por supuesto, de las variedades amantes del calor, como los kiwis y las parras.

¡Cuidado con el sol de invierno!

A los árboles frutales que están bajo la plena acción de los rayos solares

---

Información

USO DE LA CAMA CALIENTE EN INVIERNO

Podrás usar una cama caliente -también se llama almajara- como «envoltura» invernal para cultivar puerros o escarolas.

- Saca del macizo las plantas con las raíces y colócalas unas al lado de las otras en la almajara.
- Rellena con tierra y hojas alrededor de las plantas hasta la mitad de su altura, y cierra la tapa de la cama caliente.
- Como protección frente a las fuertes heladas, tápala con plástico de burbujas o sacos de yute sujetos con pesos en los bordes para que no se los lleve el aire.

en invierno los amenazan una serie de perjuicios si, durante el día, la superficie oscura del tronco que está orientada hacia el sol se calienta demasiado y luego por las noches se vuelve a enfriar. El constante cambio entre frío extremo y radiación solar genera grandes tensiones en la corteza y la madera del tronco. Se forman fisuras y grietas en las que pueden anidar gérmenes patógenos, esporas de hongos y parásitos. Una mano de lechada de cal o un tipo especial de pintura para árboles (ver figura 3) los protegerá de la fuerte radiación solar y evitará el calentamiento y las grietas por las heladas en el tronco.

Los árboles de espaldera, sobre todo los situados en las paredes orientadas al sur, se calientan tanto en los días del invierno tardío que hay ocasiones en que las plantas brotan antes de tiempo. Si luego, por la noche o en algún día posterior, bajan las temperaturas, los retoños nuevos se helarán y también sufrirán daños por las heladas las ramas anuales o bianuales. Por tanto debes cubrir el árbol con un material adecuado (ver figura 4).

Protección frente al invierno en el balcón y la terraza

Los árboles frutales y los arbustos de bayas colocados en macetas deben estar lo más cerca posible de los muros de la casa. Rodea el recipiente con yute, colchonetas de paja o plástico de burbujas, y colócalo además sobre una madera o una placa de *styropor* que protegerán los cepellones contra las heladas intensas. ¡Ten la precaución de que no se sequen los cepellones!

1
Canónigos: recién sacados del bancal
Las especies invernales de esta verdura son resistentes a las heladas. Para que la puedas recolectar incluso entre la nieve, al hacer la plantación deberás cubrirla con ramas secas o tiras de fibra textil.

2
Bien envuelto
A las alcachofas les entusiasma el calor. Si quieres dejarlas en el macizo en el invierno, amontona tierra alrededor de las plantas y cúbrelas con hojas, paja o ramas secas.

3
¡Atención con los desgarros a causa de las heladas!
A finales de otoño debes recubrir los troncos de los frutales con una mano de lechada de cal o algún tipo especial de pintura para árboles, de las que puedes encontrar en el comercio especializado. Eso impedirá que las heladas agrieten el tronco del árbol.

4
Protección frente al sol del invierno
Cubre los frutales de espalderas que se apoyan en las cálidas paredes de la casa con colchonetas de paja, rafia o yute. Sujétalas bien para que no se las lleve el aire.

> PRÁCTICA

Así se conservan sanas las frutas y las verduras

Las lechugas tiernas y las ciruelas dulces no sólo te gustan a ti, sino también a los caracoles y las orugas. Por tanto, debes protegerlas a tiempo de estos y otros «comilones».

No eches mano de inmediato de la «porra química» para luchar contra los parásitos que provocan las enfermedades de las frutas y las verduras. Hay ocasiones en que te ayudarán mejor unas medidas preventivas adecuadas y unos medios de combate de tipo mecánico o biológico.

Así protegerás tus plantas

La protección de los frutales y las hortalizas comienza a la hora de la selección de las plantas y durante su cultivo.

Prevenir es mejor que curar

- Compra sólo plantas que sean saludables y fuertes. Ten presente que ha de tratarse de variedades resistentes.
- Crea unas condiciones de ubicación adecuadas.
- En el caso de la fruta preocúpate, a base de unas medidas expertas de poda, de que las copas y los arbustos estén sueltos y permitan el paso del aire.

- Realiza la plantación según el principio del cultivo mixto (ver página 18) en que la protección de las plantas es mutua. No coloques demasiado juntas las plantas de verduras y lechugas.
- Ocúpate de proporcionar una alimentación equilibrada a la planta.

Si es exagerada (sobre todo en nitrógeno) habrá gran propensión a que las plantas sean atacadas por los parásitos y las enfermedades, pues el tejido vegetal estará tierno y flojo a causa del nitrato. Abona sólo hasta mediados de verano. El abono utilizado más tarde hace que las plantas sean poco resistentes y se conviertan en presas fáciles para las enfermedades; además, los brotes y las ramas soportarán mal las heladas.
- Vigila las plantas para detectar a tiempo un ataque de parásitos o enfermedades.

Caldos, purines y cocimientos

Los caldos, purines o cocimientos que puedas preparar por ti mismo a partir de diversas verduras como son el equiseto o la cola de caballo (ver página 71), las ortigas (ver figura 1), así como la hierba atanasia

Aprovechar las ortigas
Haz un purín de ortigas diluido en agua (con una proporción de 1:20) y rocía con él las plantas; es un medio muy acreditado para protegerlas contra los pulgones y otros parásitos. Si te parece que el olor es demasiado desagradable, agrega 50 gramos de roca pulverizada.

Una red grande para unas moscas pequeñas
Utiliza una red muy tupida que sirva para proteger los cultivos frente a los diversos tipos de moscas de la verdura. Cuando hayas hecho la plantación o la siembra, colócala sin apretar sobre el macizo y asegura bien los bordes.

o lombriguera y el ajenjo, pueden servir para fortalecer, prevenir o combatir diversas afecciones (ver páginas 78 a 81).

▪ Para preparar un caldo precisas un kilogramo de hierba fresca. Corta las plantas y mantenlas durante un día entero en diez litros de agua fría. Luego cuece todo y deja que la cocción continúe durante media hora. Déjala enfriar y cuela el líquido. El caldo se debe rociar de forma diluida.

▪ Para un purín se utiliza un kilogramo de hierbas triturada con diez litros de agua; se tapa de diez a veinte días hasta que la mezcla haya fermentado. Para la aplicación se debe diluir.

▪ Para hacer un cocimiento escalda la cantidad deseada de trozos de planta, tanto frescos como secos, con agua que ya no cueza; se deja reposar de tres a ocho minutos y luego se cuela. Rocía o riega con este cocimiento, ya en frío, en una proporción de 1:5 a 1:10.

Redes, cercados y más

▪ Las redes de protección de las plantas (ver figura 2), con sus diversos espesores de malla, forman una barrera muy efectiva contra las moscas de la verdura, cuyas larvas se comen las judías, las coles, las zanahorias, los puerros y los rábanos. Los pulgones y las mariposas de la col también se quedarán con las ganas de entrar.

▪ Existen muchas recetas contra los caracoles (ver página 93), desde la sencilla colocación de cebos a base de trampas de cerveza y los cercados contra caracoles, hasta los gránulos antilimaco que se pueden adquirir en comercios especializados (ver figura 3). Otros productos, que no afectan al medio ambiente y que contienen como sustancia activa el fosfato de hierro III, también están permitidos incluso para los cultivos ecológicos.

▪ En las trampas y los anillos pegajosos (ver figura 4) se quedan atrapadas, por ejemplo, la mariposa de la escarcha y de la manzana, cuyas larvas se acabarían por convertir en los clásicos «gusanos de la fruta».

▪ Las trampas de feromonas (ver la figura 5) actúan con sustancias que sirven de estimulantes sexuales y atrapan a los individuos del sexo masculino de distintos parásitos dañinos, con lo que no estarán disponibles para la propagación de la especie.

▪ Los manguitos de plástico son un método de protección de los frutales, sobre todo los jóvenes, contra los dientes de las liebres, los conejos o los corzos.

Comensales no deseados
Espolvorear las plantas con gránulos antilimaco es una protección eficaz frente a los caracoles. Es un producto ecológico y no contaminante que reduce a los voraces caracoles y no pone en peligro a los animales útiles.

Atrapados en el pegamento
Los anillos pegajosos hacen que se queden atrapadas las hembras de las mariposas de la escarcha, que no son voladoras, al trepar desde el suelo por los troncos de los árboles. Como también se pueden quedar atrapados otros insectos útiles, sólo deberás usar esas bandas en caso de una invasión parasitaria muy grave.

Caídos en la trampa
Las trampas de feromonas formadas por bandas pegajosas a las que se agrega alguna sustancia aromática atraen a las mariposas masculinas de los manzanos, a las orugas roedoras de la piel y a las colillas de las ciruelas. Se quedan pegados y ya pueden tener descendencia.

Tabla de diagnóstico: parásitos de las verduras

PULGÓN	MARIPOSA DE LA COL	POLILLA DEL PUERRO

Aspecto de los daños: Los tallos jóvenes suelen deformarse y marchitarse; adquieren un revestimiento pegajoso (melazo o melaza).
Prevención: Fomentar la incorporación de fauna útil (mariquitas, crisopas); rociar con un cocimiento de ortigas.
Lucha: Quitar el pulgón o rociar con un chorro de agua fría; abonar la planta con roca pulverizada; rociar con un cocimiento sin diluir de tanaceto o hierba lombriguera (ver página 77).

Aspecto de los daños: Huellas de mordeduras en las hojas de las coles, los rábanos largos y las capuchinas.
Prevención: Fomentar la incorporación de fauna útil, como pájaros e icneumónidos; cultivar capuchinas como «plantas trampa»; cultivo mixto con tomates y apios; colocar redes para proteger los cultivos; a ppos. verano rociar con un cocimiento sin diluir de tanaceto o hierba lombriguera (ver página 77).
Lucha: Retirar las orugas de la mariposa de la col.

Aspecto de los daños: Desde verano hasta el otoño, hay huellas de mordeduras y agujeros en las hojas de los puerros, los cebollinos y las cebollas.
Prevención: Las mejores épocas para plantar son de med. primavera, o bien a med. verano; no colocar las plantas muy juntas; realizar un cultivo mixto con zanahorias y apios; colocar redes para proteger los cultivos (ver página 76).
Lucha: Retirar las orugas de la polilla del puerro, que son, más o menos, de 1,3 cm de longitud.

MOSCA BLANCA	CARACOLES	TOPILLOS

Aspecto de los daños: Chupan la savia de las hojas de tomates y pepinos; depositan sobre las hojas un revestimiento pegajoso que después se ennegrece (moho de negrilla).
Prevención: Mantener húmedo el suelo con el riego y un recubrimiento orgánico; utilizar camas calientes y un invernadero bien aireado.
Lucha: Colocar redes; rociar con un cocimiento sin diluir de tanaceto o hierba lombriguera (ver página 77); colocar en el invernadero tiras de papel amarillo o tabletas de madera amarillas con adhesivo para que se queden pegadas.

Aspecto de los daños: Se observan raspaduras, agujeros de mordeduras e incluso la devastación de toda la planta; rastros pegajosos.
Prevención: Fomentar la incorporación de fauna útil (erizos, sapos); regar por las mañanas; el suelo sólo debe trabajarse de forma superficial; recubrir el suelo con juncos; colocar vallas contra los caracoles; en otoño hacerse con los huevos.
Lucha: Espolvorear entre las plantas gránulos antilimaco inofensivos para la fauna útil.

Aspecto de los daños: Devoran por completo las raíces, por lo que de repente, las plantas se marchitan y caen.
Prevención: Colocar en las galerías partes de plantas de olor muy fuerte, como los ajos, o ciertos repelentes especiales que venden en comercios especializados para usar contra los topillos.
Lucha: Trastornarlos de forma continua, por ejemplo, con olores; cavar y destruir sus galerías; colocar trampas en los finales de las galerías.

Tabla de diagnóstico: enfermedades de las verduras

OÍDIO	MILDIU VELLOSO, TIZÓN	HERNIA DE LA COL

Aspecto de los daños: Aparecen unos puntos gris blanquecino que adoptan un aspecto harinoso claro y forman un revestimiento sobre la cara superior de las hojas que no se puede eliminar.
Prevención: No rociar las plantas al regarlas, y hacerlo por las mañanas; no dejar secar demasiado la zona de emplazamiento; no colocar las plantas pegadas unas a otras; abonar de forma equilibrada; plantar variedades resistentes.
Lucha: Eliminar las plantas muy afectadas por el mildiu; rociar con un cocimiento sin diluir de equiseto (ver página 77).

Aspecto de los daños: Revestimiento gris pardo de la cara inferior (el envés) de las hojas (judías, guisantes) que no se puede eliminar; las plantas mueren al poco tiempo.
Prevención: Mantener las partes de la planta lo más secas que sea posible; regar por las mañanas; no colocar las plantas demasiado pegadas unas a otras; seleccionar variedades resistentes.
Lucha: Eliminar las plantas muy afectadas; rociar con un cocimiento sin diluir de equiseto (ver página 77).

Aspecto de los daños: Excrecencias nudosas como de madera en las raíces de las coles y los rábanos redondos o largos; las plantas se deforman; las hojas se decoloran y marchitan, y luego la planta muere.
Prevención: El valor óptimo del pH es 7; no abonar con estiércol de granja; realizar cultivos mixtos; echar en el hoyo, antes de plantar, un poco de alga marina caliza.
Lucha: Destruir de inmediato las plantas afectadas por la hernia de la col.

TIZÓN TARDÍO	ROYA DEL PUERRO	PODREDUMBRE

Aspecto de los daños: Manchas marrones o negras en los frutos de la tomatera, más tarde también afectan a las hojas y los tallos.
Prevención: Colocar separadas las plantas; no rociar las plantas al regarlas; dejar bastante distancia de separación con las patatas.
Lucha: Eliminar las partes afectadas de las plantas; rociar cada semana con una infusión de ajo (triturar 70 g de dientes de ajo y echarlos en un litro de agua caliente, dejarlos actuar durante cinco horas).

Aspecto de los daños: Numerosas manchas anaranjadas en los tallos; las plantas se decoloran y adquieren un tono verde claro pero no mueren; en otoño vuelven a brotar hojas sanas; el hongo pasa el invierno con la planta.
Prevención: Colocar separadas las plantas; abonar de forma equilibrada; en primavera, antes de hacer la nueva plantación, eliminar las plantas afectadas.
Lucha: No es posible luchar contra la roya.

Aspecto de los daños: Las plántulas adquieren un tono rojizo que más tarde se oscurece y rodea la base del tallo, con lo que esa parte de la planta en seguida se seca y deshilacha; las plantas se abaten y mueren.
Prevención: Plantar o sembrar con bastante separación; trasplantar antes de tiempo; respetar la alternancia de cultivos; rociar con un cocimiento de equiseto (ver página 77).
Lucha: No es posible luchar contra la podredumbre.

Tabla de diagnóstico: parásitos de las frutas

CARPOCAPSA	ORUGAS DEFOLIADORAS	ESCARABAJO DE LA FRAMBUESA

Aspecto de los daños: Aparecen «gusanos» en las manzanas y los frutos están infectados.

Prevención: Fomentar la incorporación de fauna útil, como pájaros o murciélagos; plantar variedades poco propensas a enfermar; retirar y eliminar la fruta caída.

Lucha: Desde ppos. verano hasta después de la recolección colocar como protección, alrededor del tronco y a una altura de unos 20 cm del suelo, un anillo de cartón ondulado recubierto con alguna sustancia pegajosa; retirar todas las semanas las larvas capturadas.

Aspecto de los daños: Desde fin. invierno/ppos. primavera aparecen huellas de mordeduras de la mariposa de la escarcha en los brotes, los tallos, las hojas y los frutos de manzanos y perales.

Prevención: A fin. verano/ppos. otoño colocar trampas de feromonas (ver página 77) en el tronco, de forma que queden a un metro de altura sobre el suelo; hacia finales de otoño se deben retirar y quemar esas trampas; colocar nidales para atraer a los útiles herrerillos y carboneros.

Lucha: Utilizar un preparado de Bazillus-thuringiensis.

Aspecto de los daños: A fin. primavera aparecen huellas de mordeduras en las flores, los brotes, las hojas y los frutos inmaduros (en forma de escarabajos); después también en el fruto maduro (como larvas).

Prevención: Fomentar la incorporación de fauna útil (pájaros, erizos e icneumónidos); sembrar miosotis (nomeolvides) entre las frambuesas y las zarzamoras; en otoño y primavera regar debajo de los arbustos con una infusión de tanaceto o hierba lombriguera.

Lucha: Retirar los escarabajos.

PULGÓN DEL GROSELLERO	MOSCA DE LAS CEREZAS	AVISPA PORTASIERRA

  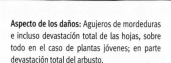

Aspecto de los daños: Llamativas manchas que en las hojas del grosellero rojo van del rojo al violeta oscuro (las manchas son amarillentas en la variedad de grosella negra), que adquieren un revestimiento pegajoso (melazo o melaza).

Prevención: Fomentar la incorporación de fauna útil (pájaros, mariquitas y crisopas); procurar un abono equilibrado.

Lucha: No es precisa, el aspecto de los daños puede resultar «dramático», pero los arbustos apenas resultan afectados.

Aspecto de los daños: Fruto «agusanado» e inservible.

Prevención: Eliminar lo antes posible los frutos afectados y los caídos en el suelo; procurar con la poda que la copa del árbol quede poco compacta y reciba luz; plantar variedades tempranas.

Lucha: Desde principios hasta finales de primavera colgar tiras pegajosas de color amarillo en el lado sur del cerezo (de cuatro a seis tiras por cada árbol).

Aspecto de los daños: Agujeros de mordeduras e incluso devastación total de las hojas, sobre todo en el caso de plantas jóvenes; en parte devastación total del arbusto.

Prevención: Fomentar la incorporación de fauna útil (pájaros, icneumónidos, escarabajos cárabo); quitar los pulgones o rociar con un fuerte chorro de agua fría; rociar con un cocimiento de tanaceto o hierba lombriguera, regar con un purín de ortigas (ver página 77).

Lucha: A principios de verano rociar con una solución de jabón verde.

Tabla de diagnóstico: enfermedades de las frutas

SARNA DEL MANZANO

Aspecto de los daños: Ya desde la primavera aparecen en las hojas unas manchas redondas de tono verde oliva que luego se hacen negruzcas; en casos muy severos también afectan a los brotes y los frutos; las hojas mueren.
Prevención: No plantar los árboles demasiado pegados unos a otros; abonar de forma equilibrada; procurar con la poda que la copa del árbol quede poco compacta y reciba luz; plantar variedades resistentes.
Lucha: Retirar las hojas caídas y ¡no utilizarlas para hacer compost!

ROYA DEL PERAL

Aspecto de los daños: Manchas anaranjadas en el haz de las hojas; sólo en los casos muy severos llega a debilitar el árbol.
Prevención: No plantar en la cercanía del árbol ningún tipo de enebro antiguo que se haya retirado, por ejemplo, de otra parte del jardín, porque el hongo pasa los inviernos en ellos (a excepción del enebro común indígena).
Lucha: Retirar y destruir las hojas caídas y ¡no utilizarlas para hacer compost!

PODREDUMBRE GRIS

Aspecto de los daños: Recubrimiento de la superficie de hojas y frutos con una capa de moho gris; la fruta se pudre.
Prevención: No colocar las plantas demasiado pegadas unas a otras; no utilizar abonos demasiado nitrogenados; procurar una buena estructura al suelo (recubrir con materia orgánica); realizar el cultivo mixto con ajos; plantar variedades resistentes.
Lucha: Eliminar por completo las partes afectadas de la planta; desinfectar las herramientas de trabajo con agua hirviendo.

ROYA DEL GROSELLERO

Aspecto de los daños: A principios de verano aparecen unas pústulas de color amarillento rojizo en el envés de las hojas de los groselleros negros; las hojas más afectadas llegan a caerse.
Prevención: No plantar pinos blancos (también se llaman pinos de Weymouth) en las cercanías del arbusto, ya que son hospedantes intermediarios del hongo; plantar ajenjo (hierba santa, artemisia) entre los groselleros; aclarar con periodicidad los arbustos.
Lucha: Retirar y destruir de inmediato las hojas afectadas.

PODREDUMBRE NEGRA

Aspecto de los daños: Los frutos de pepita o de hueso se secan y arrugan; es frecuente que ocurra una vez que ya están almacenados.
Prevención: Procurar que la fruta no se golpee ni sufra erosiones; eliminar los frutos secos de la copa del árbol; no almacenar ningún fruto que esté afectado; plantar rábanos picantes en los alcorques de los frutales.
Lucha: Retirar y destruir por completo las partes afectadas de la planta y ¡no utilizarlas jamás para hacer compost!

BOLSA DEL CIRUELO

Aspecto de los daños: Crecimiento anormal y extraordinario de los frutos jóvenes; la fruta se deforma, no llega a adquirir el color definitivo y más tarde se seca.
Prevención: Procurar que con la poda la copa del árbol quede poco compacta y reciba luz; plantar variedades resistentes, por ejemplo, los ciruelos tempranos apenas resultan afectados.
Lucha: Retirar y destruir los frutos afectados.

> PREGUNTAS Y RESPUESTAS

Consejos expertos acerca de los cuidados

Seguro que dominas el programa de mantenimiento que necesitan las frutas, las verduras y las hortalizas. No obstante, a veces hay que pedir algún buen consejo si las plantas de verduras o las frutas muestran síntomas de carencias, no crecen de la forma adecuada, no fructifican o se frustra el fruto.

? **Suelo hacer con regularidad un recubrimiento orgánico del suelo de mi huerto. Ahora he oído que ese recubrimiento puede atraer a los caracoles. ¿Es cierto?**

Es verdad que un recubrimiento de bastante espesor ofrece buenas posibilidades de refugio y escondite a los caracoles. Una capa delgada, de un centímetro de espesor, que se renueve de forma muy constante no resulta demasiado atractiva para ellos. Si tapas con materiales ásperos y puntiagudos, por ejemplo, con paja de junco, te servirán de defensa frente a esos viscosos parásitos. Lo mismo se puede decir con respecto a los topillos y otros roedores de campo: es mejor hacer un recubrimiento de poco espesor para que esos animalillos no tengan ninguna posibilidad de refugiarse.

? **Desde hace algunos años, en mi jardín han fracasado los ciruelos, los cerezos y los groselleros espinosos, también los tomates, las zanahorias y los** colinabos. **¿A qué se puede deber? ¿Qué he hecho mal?**

La fruta frustrada o la verdura que se reseca suele ser consecuencia de que las plantas son de unas variedades de tipo especial que sufren alguna irregularidad a lo largo de su desarrollo. Puede ser resultado de que el abono esté poco equilibrado o de los cambios incesantes entre el tiempo lluvioso y el cálido. Las células vegetales crecen de forma súbita y violenta en el interior de los frutos, lo que hace que la cáscara o la piel de los mismos no se pueda adaptar a esa velocidad de crecimiento y acaben por rasgarse. Es frecuente que los frutos frustrados hayan sido afectados por mohos que hacen imposible obtener una buena cosecha. Para evitar todo esto debes abonar las plantas de forma equilibrada, sobre todo sin usar mucho nitrato. Después, nada más empezar a apuntar la fruta, en la época de sequía y calor de pleno verano, tendrás que hacer un riego periódico.

? **He traído varios groselleros viejos de nuestro antiguo jardín y quisiera colocarlos en un nuevo terreno. ¿Cómo debo podar y cuidar estas plantas?**

Al trasplantar árboles viejos se ha de tener en cuenta que pueden haber perdido parte de su masa de raíces. Para hacer más fácil que las raíces restantes puedan abastecer todas las partes de la planta (ramas, hojas) lo mejor es cortarlo hasta la mitad de la longitud de sus ramas. Elimina por completo las viejas y muertas que sean más gruesas que un dedo pulgar. Riégalas con regularidad de forma prolongada y penetrante hasta que, si el grosellero ha arraigado bien, empiecen a apuntar las nuevas hojas y ramas.

? **En nuestro huerto las plantas más diversas han sido afectadas de nuevo por los hongos: pepinos y calabacines tienen mildiu; los cebollinos y las judías tienen manchas de roya; y las fresas se ven atacadas con**

frecuencia por el hongo de la podredumbre. ¿Qué puedo hacer para defenderme de esta «invasión de hongos»?

Las enfermedades provocadas por los hongos (micosis) dependen mucho del tiempo atmosférico, por lo que no siempre se pueden evitar del todo; por otro lado, la invasión año tras año de los hongos también puede deberse a causas muy diversas. Si los síntomas, por ejemplo, las pústulas rojizas de la roya o el revestimiento gris blanquecino de hojas y ramas, se hacen muy visibles, la mayoría de las veces ya suele ser demasiado tarde para combatirlos. No te queda hacer otra cosa que recortar mucho las partes de las plantas que hayan sido afectadas y eliminarlas; no las uses para fabricar compost.

■ En cualquier caso, al plantar o sembrar nunca debes colocar muy juntas las verduras o las hortalizas.
■ Trasplanta con puntualidad las semillas.
■ No riegues las hojas desde lo alto.
■ Procura que los frutales dispongan de una estructura suelta en la copa.
■ No elijas para plantar un lugar que esté en la sombra durante mucho tiempo.
■ Evita el exceso de abono, sobre todo si es nitrogenado.
■ Para el fortalecimiento de los cultivos en peligro, cada cuatro semanas puedes regar el suelo de debajo de las plantas con un cocimiento de ajo o plantar ajos entre los fresales.
■ Dispondrás de una buena prevención contra las infecciones provocadas por hongos si cada dos o tres semanas rocías las plantas con un cocimiento de equiseto (cola de caballo) disuelta en una proporción 1:5.

Ten en cuenta, sin embargo, que si llueve con frecuencia entre los intervalos en que hayas rociado la planta, el agua de lluvia lavará el cocimiento. En las invasiones muy graves deberás utilizar la cola de caballo cada tres días para tratar de salvar lo que aún se pueda.

[?] He plantado una variedad de frambueso que da frutos dos veces al año. ¿Cuándo y cómo debo podarlo?

En las variedades de frambuesos de doble cosecha anual, los primeros frutos se dan en otoño en los brotes de un año de edad situados en la parte superior. Una vez que hayas hecho la recolección debes cortar la parte del tallo que ya haya fructificado. En el siguiente verano, las mismas varas de frambueso darán frutos por segunda vez, pero ahora en la parte inferior. Al recolectar corta ya los brotes restantes a la altura del suelo.
Es muy importante hacer el proceso de poda de las ramas que ya hayan dado frutos, pues muchas enfermedades de los viejos tallos productores se pueden transmitir a las partes más jóvenes de la planta.

[?] Yo mismo he sembrado puerros, los he trasplantado y colocado en un macizo. Los tallos crecen bien pero resultan demasiado largos en lugar de gruesos. ¿Qué pasa?

Para conseguir unos tallos de puerros que sean magníficos, gruesos y blancos, hay que manipularlos de una forma especial. Existen muchos criterios acerca de la separación y la profundidad a la que se debe realizar la plantación: nunca coloques muy juntas las plantas jóvenes de los puerros. Entre planta

y planta debe haber una separación de unos 15 cm. Las hileras de plantas deben estar separadas de 30 a 40 cm unas de otras.
Para que los tallos queden de un bonito color blanco deberás cavar surcos de unos 15 cm de profundidad en los que se colocarán las plantas jóvenes y luego, a ambos lados, hay que amontonar tierra alrededor de los puerros (a eso se le llama aporcar los puerros), por igual y sin apretar demasiado. Las semanas siguientes coloca más tierra hasta llegar a formar un pequeño muro alrededor de las bases de los tallos que, en consecuencia, no recibirán luz del sol. Este pequeño esfuerzo en el cuidado de las plantas te garantizará la recompensa de unos apetitosos y blancos puerros.

[?] En mis tomateras, que se habían criado bajo cubiertas de plástico con una gran profusión de flores, ahora por desgracia no ha aparecido ni un fruto. ¿Cuál puede ser el motivo?

Las cubiertas de plástico son una buena solución porque sirven para equilibrar las oscilaciones de temperatura que pueden frenar el desarrollo de las plantas. Sin embargo, al estar tapado el cultivo esto hace que quede fuera del campo de acción de los insectos que necesitan las tomateras para fructificar. Si es ése tu caso, no se podrá dar la formación de los frutos. Retira las cubiertas en el tiempo seco y soleado y verás que pronto florecen las tomateras.
A finales de verano podrás poner de nuevo en servicio las cubiertas: servirán para distribuir un calor uniforme y de esa forma conseguir una buena maduración y coloreado de los frutos.

Lo más bonito: recolectar

Ir al jardín, sacar del suelo los primeros rabanitos, cortar los primeros cogollos de lechuga, recolectar un cesto lleno de tomates maduros o picar alguna de las dulces frambuesas arrancadas directamente del arbusto; para la mayoría de las personas estamos ante el trabajo más bonito que se puede hacer en un jardín.

Desde la primavera hasta el otoño tardío puedes recolectar frutas, verduras y ensaladas en tu jardín. Y si hay abundancia de verduras y ensaladas, no tienen por qué ser consumidas de inmediato, pues también existen diversas posibilidades para hacer que la cosecha se conserve durante mucho tiempo.

¡Todo a su tiempo!

Si quieres recolectar tu fruta y verdura con todo su aroma y también con una consistencia adecuada, deberás realizar la cosecha en el «momento preciso» (ver páginas 86 y 87).

De ese momento preciso de la cosecha dependen el sabor, el contenido en sustancias nutritivas (por ejemplo, vitaminas, fructosa), la capacidad de almacenamiento y, por último, también influye la posible formación de sustancias perjudiciales, como puede ser el nitrato. La ensalada debe llegar a la mesa lo antes posible después de haberse realizado la cosecha. En el caso de las verduras de fruto resulta importante captar su adecuado grado de maduración para poder saborear su aroma con absoluta plenitud. La col, los puerros o las zanahorias pueden quedarse durante bastante tiempo en el bancal y ser recolectadas poco a poco.

Demasiado de una vez

Si quieres cultivar mucha fruta y verdura, deberás calcular también el tiempo que vas a necesitar para la recolección y para manipular la cosecha (ver páginas 88 y 89). Piensa que hay varios tipos de frutas que maduran al mismo tiempo y, además, quizá las judías de vara y otras verduras estén a la espera de su tratamiento. Si quieres plantar varios árboles frutales, lo recomendable es combinar variedades tempranas, medias y tardías, de tal modo que la cosecha se reparta en el tiempo. Grandes cantidades de verduras veraniegas de fruto, como los tomates, los calabacines o los colinabos, se pueden utilizar muy bien para las ensaladas y como verdura cruda, pero también se pueden congelar o preparar en forma de *chutneys*. Las zanahorias y las remolachas rojas se pueden consumir de inmediato, pero también pueden ser almacenadas durante un tiempo más largo. Da igual cómo utilices los productos de tu jardín, ¡debe suponerte un placer y no ser motivo de estrés!

> *Por fin llegó la época de la recolección. ¡Ahora es el momento de cosechar, preparar y almacenar la «dulce» presa!*

Recolectar productos maduros o verdes

Las judías se pueden cosechar a partir de determinado tamaño y cuanto más pequeñas más tiernas serán. Sin embargo, los tomates tienen su mejor sabor si están en plena madurez, lo mismo que ocurre con las fresas. ¿Cuándo está lista para su recolección tanto la verdura como la fruta?

No dejes que los calabacines se hagan demasiado grandes. Así tendrán la carne más firme, crujiente y sabrosa.

Los primeros indicios para escoger el momento más adecuado para la recolección los obtendrás gracias a las explicaciones de los tiempos de cultivo que aparecen en los sobrecitos de las semillas; verás que en función de cada variedad las diferencias pueden ser notables.

Recolección de verdura madura

Las ensaladas (ver páginas 96 a 99) y las verduras (páginas 100 a 107) es mejor que sean cosechadas antes que después, ya que si hay un «exceso de maduración» pierden con rapidez su calidad y sabor. Con

las judías y los pepinos aumentarás la cosecha si la realizas más a menudo y en cortos intervalos de tiempo. Si cosechas de forma continua las zanahorias jóvenes, los rabanitos redondos y la verdura para ensaladas, sus vecinos dispondrán de más espacio para crecer.

¡Cuanto más jóvenes, mejor!

■ La mayoría de las veces las judías maduran muy deprisa, lo que te permitirá hacer varias rondas de recolección. Cuanto más pequeñas sean las vainas, más tiernas serán. Una cosecha tardía hace que las judías resulten fibrosas y duras.
■ Los rábanos largos, los rabanitos redondos y los colinabos se ponen «leñosos» en seguida si se quedan mucho tiempo en el parterre. Siembra más tarde, y recolecta los frutos cuando sean más jóvenes.
■ Los calabacines de un tamaño inmenso te llenarán de orgullo, pero su sabor no será nada bueno. Con un tamaño de 15 a 20 centímetros ya estarán crujientes y sabrosos; lo mejor es comerlos de inmediato o prepararlos en conserva (ver páginas 88 y 89).

■ Si cortas el brote principal del brécol cuando aún no se haya hecho demasiado grande, se suelen desarrollar otros brotes laterales y de esa forma se pueden recolectar rosetones más pequeños pero durante más tiempo.
■ Si recolectas los chilis y los pimientos con frutos maduros por completo, tu cosecha será aún más dulce y con un mayor contenido en carotinoides. En cambio, en el caso de las variedades rojas o de tonalidad anaranjada, puedes retirarlas de la planta cuando aún estén verdes.

Dejar que maduren con toda tranquilidad

■ El hermano mayor y redondo del calabacín, la calabaza de invierno, debe crecer durante mucho tiempo, hasta bien entrado el otoño. Si los tallos del fruto se hacen leñosos y, al golpearla, la calabaza emite un ruido sordo, estarás en el mejor momento para realizar la recolección.
■ La lombarda y el repollo, el apio, las zanahorias y las remolachas rojas que quieras almacenar deben permanecer el mayor tiempo posible en el parterre, de esa forma luego los frutos se mantendrán mejor durante más tiempo.
■ Las cebollas y los ajos estarán maduros por completo si observas que los tallos comienzan ya a amarillear, a secarse y, poco a poco, a morirse.

Evitar el nitrato en la medida de lo posible

El nitrato, cuya ingesta en dosis elevadas debe evitarse, se acumula sobre todo por las noches.
■ La verdura destinada a ensaladas, así como las espinacas, se debe

recolectar después de comer, porque después de esa hora ya empezará en las hojas el enriquecimiento del nitrato.

■ Las zanahorias deben ser despegadas del terreno por la mañana, utiliza una laya para romper las raíces más finas y luego, después de comer, ya las podrás ir sacando por completo del suelo. De esa forma también evitarás la existencia de nitratos en el producto cosechado.

¿Crudo o cocinado?

Las lechugas se suelen comer crudas. La achicoria se puede guisar o asar. La mayoría de las verduras también se pueden ingerir crudas. Sin embargo, en el caso de las leguminosas (guisantes y judías) hay que tener cuidado, ¡una gran cantidad de frutos ingeridos en crudo puede resultar algo tóxica! También los tomates verdes que, sin pensarlo, puedes utilizar para la elaboración de gelatinas especiales y *chutneys*, no deben ser consumidos crudos.

Recolectar las frutas

En el caso de las frutas (ver páginas 108 a 115), la variedad es la que decide, en primera instancia, si es el momento adecuado para la cosecha.

Cosechar las ciruelas una a una es una tarea bastante más larga y pesada que si uno se limita a hacerse con ellas a base de sacudir el árbol.

■ La fruta para almacenar debe dejarse tranquila colgada del árbol para que madure allí durante más tiempo a lo largo del otoño. Pero tampoco hay que esperar demasiado: los frutos recolectados demasiado tarde pueden desarrollar después las típicas «enfermedades de almacenamiento», como la denominada «manchas amargas» o «corazón amargo» (ver página 92).

■ Los membrillos, de maduración temprana, contienen mucha pectina, lo que resulta muy importante a la hora de hacer gelatina o carne de membrillo. Por lo tanto debes recolectar los membrillos destinados a hacer

gelatinas o mermeladas antes que los que quieras utilizar para zumo, puesto que al cabo de un tiempo la pectina se habrá reducido en parte.

■ La mayoría de las variedades de peras son apropiadas para su consumo recién cosechadas. Sin embargo, si has plantado una variedad para almacenar, debes recolectar los frutos que aún no estén maduros.

■ Las cerezas dulces y las grosellas espinosas se estropean si no se recolectan en la fecha óptima.

■ Las ciruelas tempranas maduran muy deprisa y, en consecuencia, deben ser cosechadas en el plazo de dos o tres días.

Consejo

COSECHAR LECHUGA RIZADA FRESCA DURANTE MUCHO TIEMPO

La gran ventaja de la lechuga rizada es que las plantas se pueden cosechar durante mucho tiempo. Corta o retira las hojas una a una, pero empieza siempre por abajo. Si no deterioras el «corazón» del centro de la planta, el crecimiento continuará y mantendrá durante mucho tiempo su oferta de crujientes hojas para la ensalada.

> PRÁCTICA

Manipular y almacenar las verduras y las frutas

Una abundante cosecha del jardín culinario de frutas y verduras hace que el orgulloso corazón del jardinero palpite a toda velocidad. ¡Con unos métodos de manipulación y almacenamiento adecuados mantendrás durante mucho más tiempo una cosecha estupenda!

Todo lo que no vayas a consumir fresco y de inmediato debes procesarlo y transformarlo lo más deprisa que puedas; a excepción de la fruta y la verdura de almacenamiento.

■ Si tu almacén es bastante fresco pero demasiado seco, deberás colocar la verdura en cajas con arena húmeda (ver figura 1). Si el producto almacenado pierde demasiado deprisa la humedad, rápidamente dejará de estar crujiente.

Hacer que las verduras sean más duraderas

Es fácil comprender que sólo se debe procesar y almacenar la verdura que no presente ningún tipo de daño.

Almacenar de forma adecuada

■ Para el almacenamiento de coles, zanahorias, apios y remolachas rojas, lo más apropiado son unos lugares que sean frescos (de entre 4 a 10 °C) y con una elevada humedad relativa del aire (más o menos del 80%). Coloca la verdura separada sobre unas rejillas y la fruta mejor colocarla en bandejas.

Decorativas cabezas de cebolla

Las cebollas perduran durante mucho tiempo sin que tengas que hacer nada con ellas, pero eso siempre que al sacarlas del parterre estén bien secas (ver figura 2). Puedes anudar los tallos o bien hacer una artística ristra y colgarlas después a secar en un lugar aireado; de esa forma aguantarán durante todo el invierno.
Para su hermano pequeño, el puerro, antes que almacenarlo hay que secarlo bien, luego ya aguantará durante mucho tiempo.

Congelar de forma adecuada

La congelación (véase la figura 3) es la forma de conservación más rápida y sencilla. Otra ventaja del procedimiento se base en el hecho

¡Al cajón! 1
Si dejas las zanahorias en una caja con arena humedecida (¡ojo, no empapada!), apenas perderán humedad y aguantarán frescas durante bastantes semanas. Preocúpate de que la arena no se seque demasiado.

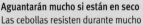

Aguantarán mucho si están en seco 2
Las cebollas resisten durante mucho tiempo si se colocan en un lugar seco y aireado, ya sea en cajas o colgadas en ristras. La piel exterior debe estar seca por completo.

de que el alimento congelado mantiene durante mucho tiempo su forma y color; además, el sabor casi no se modifica. Pero las sustancias nutritivas sólo se mantienen si las verduras se recolectan frescas y se congelan de forma muy rápida (congelación de choque).

▪ En algunos tipos de verduras, por ejemplo, los guisantes, las judías y las espinacas, es recomendable que antes del congelado se haga un escaldado por raciones, de modo que no se modifique su intenso color.

▪ No son adecuados para congelar desde el estado crudo las verduras que tienen un elevado contenido de agua, como son los pepinos y las cebollas.

Hacer más duradera la fruta

La fruta «sobrante» también se puede procesar de diversas formas para conseguir que sea más duradera.

Las manzanas deben estar aparte

Para almacenar la fruta necesitas un lugar seco, aireado y fresco (de 2 a 6 °C); lo mejor es que coloques los frutos sobre rejillas, unos al lado de los otros (ver figura 4).

▪ Coloca los frutos de forma que no se toquen entre sí.

▪ Las manzanas se deben almacenar en un lugar aparte. Emiten una «sustancia de maduración» que hace que se reduzca mucho la resistencia de otras frutas y verduras.

Al congelador

▪ Las bayas y las frutas con hueso se pueden cosechar frescas para su posterior congelación. Lo mejor es congelar las frutas colocadas por separado en una plancha y después embolsarlas en raciones. Así las frutas se mantendrán mejor que si se juntan todas.

▪ Las frutas de pepita (manzanas, peras, membrillo) no se pueden congelar crudas, pues hay que cocinarlas antes.

Zumos, mermeladas y otros

▪ Para la preparación de zumos, confituras, mermeladas y demás (ver figura 5) tienes a tu disposición una gran cantidad de apetitosas posibilidades de utilización. ¡No pongas límites a tu fantasía a la hora de poner en conserva la fruta!

▪ Si dispones de un aparato de secado, puedes cortar las manzanas, albaricoques, peras y ciruelas en trozos pequeños o rebanadas, y luego ponerlos a secar en el aparato. Este método de manipulación también se puede realizar en el horno, pero es mucho más laborioso.

Congelar es rápido y fácil
Las espinacas se pueden ultracongelar en raciones sin que pierdan nada de su aroma, color y sabor si las escaldas durante un corto espacio de tiempo: basta con introducirlas, de 1 a 5 minutos, en agua hirviendo y luego escurrirlas bien.

Bien almacenadas aguantan mucho
La mejor forma de almacenar las frutas y las verduras es colocarlas en un sitio aireado, fresco y bastante separadas unas de otras. De todas formas deberás controlarlas con periodicidad y deshacerte de cualquier pieza que esté podrida o deteriorada.

Licuarlas, o hacer mermeladas o gelatinas
La fruta muy madura es muy indicada para poner en conserva, hacer zumos, gelatinas o mermeladas. Trabaja sólo con fruta de primera clase, que no tenga golpes ni ningún tipo de daños, pues esos defectos influyen bastante en los plazos de conservación.

> PREGUNTAS Y RESPUESTAS

Consejos expertos acerca de la recolección y el almacenamiento

Ya es inminente la tan deseada cosecha y ahora surgen las preguntas acerca del mejor momento para la recolección, de las técnicas más adecuadas para hacerla o del mejor sitio para almacenar los frutos. Recolectar y conservar bien la cosecha te supondrá un prolongado disfrute de los productos de tu huerta.

? **He sembrado varios tipos de calabazas. Al parecer una de ellas es de una especie destinada a servir de adorno y me ha dado unos frutos pequeños de color anaranjado. ¿Qué puedo hacer con ellos?**

En las calabazas existe un gran número de variedades. Es frecuente decir de las plantas que dan frutos pequeños que son calabazas para decoración (¡no se deben comer!), a pesar de que entre ellas haya algunos representantes de aspecto muy sabroso. Para las especies de frutos pequeños, así como para las *Rondini* (son unos parientes pequeños y redondeados de la familia de las calabazas) y las *Squash*, que tienen aspecto de OVNI, lo mejor es no desaprovechar la época de la recolección. En todo caso, no dejes demasiado tiempo el fruto en la planta o el almacén. Cuanto más pequeñas sean las calabazas, más delgada será su piel y se secarán a toda velocidad, se

pondrán duras y no serán comestibles. Si son jóvenes y frescas están crujientes y muy apetitosas. A lo mejor tus pequeñas calabazas anaranjadas te dan una agradable sorpresa. ¡No tienes más que probarlas!

? **Las hojas de mis cebollas están recubiertas en parte por una especie de granos o pústulas de tono castaño, quizá se trate de un hongo. ¿Puedo consumir las cebollas?**

Tienes razón, tus cebollas deben haber sido víctimas de un hongo de tipo «uredinal». Si se han propagado mucho las pústulas de la enfermedad, debes deshacerte de inmediato de las plantas afectadas. ¡Tampoco las uses para el compost! Las plantas que no estén muy invadidas se pueden usar para el consumo inmediato, con tal de que, elimines de ellas con mucha generosidad las partes que tengan manchas del hongo.

? **En primavera planté hinojo. A pesar de que las plantas ya han alcanzado los 1,5 metros de altura, no se ha formado ningún bulbo sino sólo unas umbelas amarillentas. ¿Las puedo utilizar?**

Es muy probable que lo que quisieras plantar fuera hinojo de Florencia, cuyos sabrosos bulbos con gusto a anís son una verdura exquisita, y en su lugar has puesto hinojo de especia. Ambos son parientes cercanos, pero la especia no produce bulbos sino que crece hasta hacerse una planta imponente y vistosa. Con sus delicados tallos y las semillas, verdes o maduras, puedes hacer salsas para ensalada o pescado, así como *mixed pickles*, que es una mezcla para encurtidos.

? **En mis arbustos de grosellas este año no hay casi nada más que fruta frustrada. Y con el cerezo tengo el mismo problema. ¿Puedo consumir esa fruta?**

Puede ser frecuente que las frutas

maduras procedentes sobre todo de variedades tempranas, como las grosellas, las cerezas o las ciruelas, se malogren y acaben por ser víctimas de la roya u otros hongos. El olor que desprende el zumo de los frutos afectados resulta muy atractivo para las avispas y otros insectos, y la acción de esos animales acelera aún más el proceso que hace que la fruta sea inapropiada para el consumo.

■ Haz la recolección, sobre todo la de las variedades tempranas, en cuanto veas que ya han madurado los primeros frutos.

■ Puedes evitarte fastidiosos fracasos si abonas de un modo equilibrado, sobre todo a base de no utilizar demasiado nitrato.

■ Ten cuidado con el calor excesivo y la sequedad de pleno verano, lo mejor es regar de forma suficiente desde el momento en que empiecen a despuntar los frutos hasta la época de la recolección.

º ¡Tienes cerezos de variedades muy resistentes!

[?] **He plantado coles de Bruselas que, al parecer, pueden quedar en el macizo hasta el comienzo del invierno e incluso necesitan de las heladas para adquirir buen sabor. Sin embargo, sólo he conseguido unas cabecitas podridas. ¿Qué pasa?**

Tienes razón, las coles de Bruselas suelen soportar, más o menos, la dureza del invierno. Por supuesto, eso también depende de la zona geográfica en que vivas, del sitio que ocupen en el jardín y, además y entre otras muchas cosas, de la variedad de la planta y los nutrientes con que cuente.

Incluso aunque todos esos factores sean óptimos, las coles se dañan si

hay varias heladas de unos −10 °C, y sufren repetidos procesos de congelación y descongelación. Por eso, lo mejor es tenerlas cosechadas por completo a finales de otoño, como muy tarde, y congelar las coles o, por ejemplo, poner en la cara norte de un edificio las plantas completas, hojas y cabezas, recubrirlas de tierra y luego taparlas con leña menuda y ramas secas. En esa «nevera natural» y a pesar de las fuertes heladas, podrás hacer la recolección durante todo el invierno. Preocúpate de que el lugar de almacenaje al aire libre no esté expuesto a los rayos solares del invierno.

[?] **En la soleada pared de nuestra casa tenemos un árbol de kiwis que va a dar muchos frutos. ¿Cómo puedo almacenar y utilizar esa abundante cosecha?**

Lo primero que te puedo recomendar es que consumáis tantos frutos frescos como os sea posible, ya sea como postre o para hacer tartas. Los kiwis son ricos en vitamina C.

■ Haz la recolección cuando aún estén un poco duros.

■ Presta atención a las cosechas para que la fruta esté tan seca como sea posible, libre de suciedad y sin golpes.

■ Mételas en bolsas transparentes de plástico, unas diez o doce piezas por bolsa en función del tamaño, a las que practicarás unos agujeros para ventilar su contenido y luego coloca las bolsas en el cajón de verduras de la nevera. Gracias a su piel peluda, las frutas estarán, además, bien protegidas contra una evaporación rápida. Al cabo de un máximo de tres o cuatro meses la fruta estará aún jugosa, crujiente y sin arrugas.

■ Controla de forma periódica las bolsas por si se estropeara alguna fruta. ¡Si ocurriera eso, separa de inmediato a la culpable!

■ También hay unas fantásticas recetas para hacer preparar los kiwis en forma de mermelada. ¿Qué te parece si los combinas con varios tipos de ciruelas?

[?] **Tengo un ciruelo Quetche del tipo «Zimmers Frühzwetsche». En los últimos años se han podrido o se han pasado las ciruelas cuando aún colgaban del árbol y no he podido cosechar casi ninguna. ¿Qué he hecho mal?**

Al contrario que la resistente «Hauszwetsche», que madura bastante más tarde y más despacio, en el plazo de muy pocos días maduran y se deben recolectar las ciruelas tempranas Quetche. Su carne es suave, jugosa y con mayor contenido de agua que las «Hauszwetsche», por lo que no se pueden almacenar y si no se recolectan a tiempo se pudren muy deprisa en el árbol.

No pierdas de vista el ciruelo al acercarse el momento de la maduración.

Lo mejor es un control diario para comprobar que los primeros frutos están a punto de desprenderse de las ramas.

Más tarde, una vez que esos primeros frutos comiencen a caer, deberás darte prisa para cosecharlo todo. Lo más fácil es que agites las ramas para que la fruta caiga sobre un paño colocado alrededor del árbol. Esto no es lo más aconsejable si vas almacenar la fruta, pero como van a ser troceados o manipulados, tampoco es demasiado importante.

¿Qué hacer si...

... el nuevo frutal que plantaste hace dos o tres años arroja demasiada sombra sobre el macizo de verduras?

Motivo:

El árbol está colocado muy cerca del macizo y la superficie plantada; o al revés, es el macizo el que se puso demasiado cerca del árbol.

> Medidas a tomar:

Si no puedes cambiar de lugar la superficie plantada, lo mejor es eliminar las ramas más robustas del árbol. La poda se debe llevar a cabo a mediados de verano, pues después de esa fecha la presión de la savia disminuye hasta llegar a la época de tranquilidad

invernal. Utiliza una herramienta fuerte para hacer la poda a fin de que la zona de corte no quede deshilachada ni rasgada. En el lugar en que una rama incide sobre otra más gruesa o sobre el tronco se puede reconocer un abultamiento que es la denominada «protuberancia anular». Preocúpate de no lesionar ese abultamiento al cortar la rama, pues ahí es donde se localizan las células capaces de subdividirse, que sirven para recubrir con rapidez las zonas heridas del árbol. Corta las ramas que estorben de la forma más limpia y plana posible.

... el frutal produce demasiadas ramas verticales?

Motivo:

Los denominados brotes adventicios o «chupones» se forman si el árbol ha sido demasiado podado.

Medidas a tomar:

La palabra clave está en el «sosiego del crecimiento».

> En las especies de frutales de crecimiento elevado no hay que podar de forma exagerada y radical en el invierno tardío, sino que parte de esa poda debe ser veraniega, por ejemplo, a mediados de verano. Eso hará que el árbol genere hojas con mucha menos fuerza, por que ya se habrá acomodado a la tranquilidad del invierno o el otoño.

> No cortes todos los brotes verticales; deja, aproximadamente, un 20 % de ellos, los que veas que crecen con menos fuerza hacia arriba, así acabarán por desarrollarse las ramas portadoras de frutos.

... las manzanas que tenías almacenadas tienen manchas marrones?

Motivo:

La fruta está afectada, por lo que se llama «manchas amargas» o «corazón amargo» de la manzana, que es un

trastorno fisiológico que afecta con mucha frecuencia a las frutas con pepitas.

Medidas a tomar:

Para impedir esta enfermedad debes prestar atención durante el cultivo del frutal a algunos aspectos.

> Evita en todo caso un aporte de agua desigual durante la evolución del período de vegetación, lo mismo que un tardío y desmesurado abono con alto contenido en nitrógeno.

> Fomenta el contenido de humus del terreno con un recubrimiento vegetal, aportación de compost y cuidados del suelo.

> Un factor muy importante para la aparición de las manchas puede ser la presencia de un desequilibrio en la distribución del potasio en el interior de la planta; no debes, pues, abonar con demasiado potasio.

... las plantas de verduras y hortalizas han aparecido «de la noche a la mañana» devoradas en parte o por completo?

Motivo:

Lo más probable es que hayas sufrido en tu jardín una invasión masiva de caracoles.

Medidas a tomar:

Los caracoles le agrian la fiesta de forma persistente a los dueños de los huertos y los aficionados a las ensaladas, sin embargo, existe una serie de medidas más o menos eficaces para dar el golpe de gracia, o al menos para mantener alejados a esos bichos tan devoradores.

› Coloca lugares atractivos a modo de cebo (por ejemplo, madera vieja o piedras planas) bajo los que los animales se puedan esconder durante el día, y controla de forma periódica esas zonas (lo mejor es hacerlo por las mañanas o después de llover) para retirarlos. Deja medio enterradas a ras de suelo unas patatas crudas partidas

por la mitad o unos cacharros llenos de cerveza, pues ambas cosas les resultan atractivas.

› Los cercados de metal anti-caracoles, con el borde superior sesgado, les cierran el paso a esos voraces animales tanto tiempo como sea posible hasta que encuentran un «puente» para superar la barrera.

› Una capa de cañas o juncos cortados puede, gracias a sus bordes afilados, servir de barrera para proteger a las plantas en peligro. ¡Eso sí, hay que renovar alguna vez esta protección!

› Si has vuelto a plantar lechugas, por las noches deberás colocar sobre los plantones unos sombreretes de protección, vasos o botes de cristal de conservas. Aprieta un poco las protecciones contra el suelo a fin de que los caracoles no puedan pasar por debajo.

› Dispondrás de una eficaz protección si esparces por los alrededores trozos machacados de los caparazones de los propios caracoles. Deberás humedecer un poco esos trozos secos para evitar que pierdan su atractivo.

› Para impedir que los caracoles que ya existen se propaguen con más fuerza, deberás preocuparte de retirarlos de las desigualdades del suelo y los hoyos en que se hayan refugiado, y proceder a destruirlos.

› Preocúpate de que tu suelo sea lo más suelto y fino posible, y de esa forma los caracoles casi no podrán encontrar sitio para poner sus huevos.

› Una vez que, ya en otoño, hayas recolectado la cosecha de la mayoría de los bancales, intenta localizar los «escondrijos para caracoles» en los cuales puedan pasar el invierno los huevos de esos y otros animalitos.

... los pimientos han crecido bien pero sólo se ha conseguido la formación de frutos pequeños y muy insípidos?

Motivo:

Tienes las plantas en un lugar que no reúne las condiciones necesarias para su crecimiento. Es un sitio demasiado frío.

Medidas a tomar:

› La forma más segura de conseguir una cosecha rentable de los aromáticos frutos del pimiento es cultivarlos en un pequeño invernadero. De forma alternativa puedes elegir un sitio bajo y frondoso y hacer el cultivo bajo un túnel

de plástico o de fibra textil. También puedes cultivarlos en macetas que colocarás junto a una pared caliente de la casa, en el bacón o la terraza.

› Si haces el cultivo en macizos necesitarás un lugar muy soleado y protegido contra el viento, por ejemplo, en un muro caliente, delante de una pared o bajo la protección de un seto vivo, pero de forma que no le quite el sol de ninguna manera.

› El suelo se debe poder calentar con rapidez, por lo que no debe ser muy pesado ni estar empapado en agua.

3

Especies

Lechugas crujientes y verduras recién recolectadas

La oferta de lechugas y verduras es muy rica y variada. En las siguientes páginas te ofrecemos una selección representativa de todo lo puedes cultivar sin ningún problema.

A partir de principios de primavera puedes sembrar o plantar directamente en el bancal gran cantidad de tipos de lechugas: las convencionales y sus compañeras tienen un tiempo de cultivo algo más largo, pero aportan mayor «masa de hojas». Sin embargo, los jardineros más impacientes pueden conseguir sus primeras cosechas en un tiempo mucho más reducido si plantan las prácticas lechugas de hoja suelta o las rizadas.

En cuanto a la verdura, se puede elegir entre verduras de hoja de crecimiento rápido, así como verduras de pencas, un amplísimo surtido de tiernas y sustanciosas plantas en forma de col, crujientes legumbres secas, desde suaves a potentes cebollas y puerros, raíces «terrosas» que se pueden almacenar y tubérculos o verduras de fruto que requieren mucho sol.

Lechuga acogollada
Lactuca sativa var. *capitata*

DISTANCIA ENTRE PLANTAS: 30 x 40 cm
RECOLECCIÓN: de ppos. primavera a ppos. otoño
hortaliza de cogollo

Familia: Asteráceas (*Asteraceae*)
Cultivo: a ppos. primavera se siembran bajo cristal; a fin. primavera colocar en tierra los plantones germinados: desde mediados de verano se pueden hacer plantaciones cada dos o tres semanas.
Suelo: rico en humus, mullido, permeable y no demasiado seco.
Cuidados: exigencia media de nutrientes; antes de la plantación hay que suministrar compost al suelo; cada cuatro semanas darle un riego con un purín de ortigas y abonar con muy poco nitrógeno; recubrimiento orgánico; no regar directamente, pues se pudrirán.
Recolección: a las nueve semanas ya estarán a punto para la cosecha; para hacer la recolección las cabezas deben estar compactas, pero no hay que empezar a recolectar si acaban en punta; las cabezas aguantan frescas varios días si se las conserva en la nevera; no tiende a retoñar tan deprisa como la lechuga común y puede aguantar más tiempo en el bancal.
Sustancias que contiene: minerales, vitaminas, sustancias de lastre.
Otros tipos y variedades: «Calgary» (muy resistente), «Sioux» (hojas de tono pardo rojizo), «Frillice» (hojas con muchas hendiduras, forma cogollos bastante sueltos y poco apretados), «Iceberg».

Incluso aunque tengas poco sitio, siempre podrás cultivar un colorido surtido de lechugas y verduras.

Escarola
Cichorium endivia

Lechuga de cogollo
Lactuca sativa var. *capitata*

Achicoria
Cichorium intybus var. *foliosum*

DISTANCIA ENTRE PLANTAS: 30 x 40 cm
RECOLECCIÓN: de fin. primavera a med. otoño
hortaliza de cogollo

Familia: Asteráceas (*Asteraceae*)
Cultivo: la siembra de las variedades de verano se realiza desde ppos. primavera y bajo cristal; como muy pronto empezar a partir de ppos. primavera la plantación al aire libre, con una sucesión de siembra cada dos o tres semanas; plantación más temprana al aire libre a partir de ppos. o med. primavera, luego hay que cubrir con plástico o material textil; no plantar demasiado profundo; siembra de las variedades de invierno a fin. primavera, plantación a med. verano.
Suelo: rico en humus, permeable, no demasiado seco, profundo.
Cuidados: exigencia media de nutrientes; antes de la plantación hay que suministrar compost al suelo; regar en la zona de las raíces y no directamente sobre las hojas, pues hay peligro de que se pudran.
Recolección: a las ocho semanas las plantas ya estarán a punto para cosecharlas; si el tiempo es seco, los cogollos casi listos para su recolección deben ser anudados o bien tapados con un plástico negro o macetas de plástico negro, de esa forma las hojas interiores permanecerán claras y tiernas durante unos catorce días.
Sustancias que contiene: minerales, vitaminas, sustancias de lastre, principios amargos.
Otros tipos y variedades: «Bubikopf» (para la cosecha de verano y otoño), «Grüner Escariol» (cosecha de otoño e invierno), «Tosca» muy precoz.

DISTANCIA ENTRE PLANTAS: 25 x 25 cm
RECOLECCIÓN: de ppos. primavera a ppos. otoño
hortaliza de cogollo

Familia: Asteráceas (*Asteraceae*)
Cultivo: siembra a partir de med. invierno o fin. invierno; trasplantar a maceta, y no colocar al aire libre antes de ppos. primavera; no plantar muy profunda; hasta ppos. verano es posible hacer otras siembras cada dos o tres semanas; ideal para el primer y último uso de la cama caliente o del túnel de plástico en primavera y otoño.
Suelo: rico en humus, permeable, no demasiado seco, calizo.
Cuidados: exigencia media de nutrientes; antes de la plantación hay que suministrar compost al suelo; una vez que comience la formación de los cogollos abonar con un purín de ortigas; acolchar; no regar por encima de las hojas.
Recolección: a las ocho semanas las plantas ya estarán maduras para cosecharlas; recolectar en cuanto los cogollos estén firmes, ya que de lo contrario las plantas comenzarán a florecer («darán el estirón»); cosechar por las tardes, ya que hay menos enriquecimiento de nitrato.
Sustancias que contiene: minerales, vitaminas, sustancias de lastre.
Otros tipos y variedades: «Dynamit» (para la primavera, el verano y el otoño, hojas de color verde amarillento), «Maikönig» (variedad más temprana para el aire libre, hojas color verde amarillento con borde rojo), «Pirat» (variedad de verano, hojas color rojo ladrillo).

DISTANCIA ENTRE PLANTAS: 25 x 20 cm
RECOLECCIÓN: de fin. verano a fin. invierno
hortaliza de cogollo

Familia: Asteráceas (*Asteraceae*)
Cultivo: desde ppos.primavera a ppos. verano colocar los plantones ya germinados que deban ser recolectados en otoño; sembrar a ppos. o med. verano directamente en el bancal y cuando hayan alcanzado los 12 cm aclararlas, si las plantas deben pasar el invierno en el bancal y ser recolectadas en la siguiente primavera.
Suelo: rico en humus, profundo y no demasiado seco.
Cuidados: poco exigentes de nutrientes; antes de la plantación hay que suministrar compost al suelo; abonar dos veces con purín de ortigas; acolchar; las variedades que deban pasar el invierno deben ser cortadas en el tardío otoño hasta los cinco centímetros, para luego recubrirlas con ramas secas o fibra textil; después se formarán los primeros cogollos firmes.
Recolección: las variedades tempranas se recolectan una vez que se hayan formado los cogollos; las variedades tardías dos veces: la primera vez, las hojas; y más tarde recolectar los cogollos.
Sustancias que contiene: minerales, principios amargos, inulina.
Otros tipos y variedades: «Burgundy» (para la cosecha temprana de otoño), «Roja de Verona» (para invernar, al principio de primavera; las hojas son rojas).

Col china «Mizuna»
Brassica campestris

Lechuga de cortar, Lechuga hoja de roble
Lactuca sativa var. *crispa*

Canónigos o lechuga de campo
Valerianella locusta

DISTANCIA ENTRE PLANTAS: 20 x 30 cm
RECOLECCIÓN: de ppos. primavera a ppos. otoño
hortaliza de hoja

DISTANCIA ENTRE PLANTAS: 30 x 30 cm
RECOLECCIÓN: ppos. primavera a fin. de verano
hortaliza de hoja

DISTANCIA ENTRE PLANTAS: 15 x 3 cm
RECOLECCIÓN: ppos. otoño a fin. invierno
hortaliza de hoja

Familia: Brasicáceas (*Brassicaceae*)
Cultivo: de fin. invierno a fin. verano se puede hacer la siembra directa en el bancal, o bien colocar los plantones ya germinados desde ppos. primavera a med. verano.
Suelo: rico en humus y en estructura, no demasiado seco, calizo.
Cuidados: muy exigentes de nutrientes; antes de la plantación hay que suministrar compost al suelo; mullir de forma regular; pausa de cultivo por lo menos cada tres años y durante ese tiempo tampoco se deben plantar otras crucíferas.
Recolección: recolectar las hojas jóvenes por separado y utilizarlas como ensalada (son picantes, como los berros); cosechar completas las plantas más viejas y rehogar como verdura (por ejemplo, para cocinar en el *wok*).
Sustancias que contiene: vitamina C, minerales, sustancias de lastre.
Otros tipos y variedades: «Red Giant» (hojas verdes con bordes dentados rojos, picante), «Komatsuna Green Boy» (verde, carnosa, suave), «Mizuna» (véase la fotografía; hojas con muchas hendiduras, verde claro, variedad temprana, suave), «Mustard Red Giant» (color verde-bronce, picante), «Tatsoi» (verde oscuro, para utilizar como verdura de hoja del tipo de las espinacas).

Familia: Asteráceas (*Asteraceae*)
Cultivo: sembrar desde fin. invierno hasta ppos. verano directamente en el bancal o bien desde ppos. primavera hasta med. verano trasplantar los plantones ya germinados.
Suelo: rico en humus, permeable, no demasiado seco, calizo.
Cuidados: exigencia media de nutrientes; antes de la plantación hay que suministrar compost al suelo; mullir.
Recolección: listas para la recolección unas cinco o siete semanas después de la siembra; cortar las hojas más externas sin dañar el brote central e irán creciendo nuevas hojas de forma constante; también se puede cortar toda la planta joven; cosechar por las tardes, ya que hay menos enriquecimiento de nitrato; en las variedades de hojas rojas, la coloración es más fuerte cuanto mayores sean las diferencias de temperatura entre el día y la noche.
Sustancias que contiene: minerales, vitaminas y sustancias de lastre.
Otros tipos y variedades: «Feuille de chene rouge» (lechuga hoja de roble de color rojo ladrillo), «Red Salad-bowl» (véase la fotografía; lechuga hoja de roble de color rojizo), «Lollo Rosso» (lechuga de hoja Batavia rojiza), «Lollo Bionda» (lechuga de hoja Batavia color verde claro).

Familia: Valerianáceas (*Valerianaceae*)
Cultivo: sembrar en el exterior a ppos. o med. verano, si se quiere recolectar en verano y otoño; hacerlo a finales de verano si debe soportar el invierno; antes de la siembra hay que apretar un poco los suelos muy flojos sirviéndose de un de tablón madera; sembrar a 2 cm de profundidad; plantación extendida en superficie (abonar si quedaran muy pegadas las plantas) o sembrar en hileras a una distancia de 15 cm.
Suelo: rico en humus, no demasiado ligero, calizo.
Cuidados: poco exigentes de nutrientes; mantener siempre húmedas hasta que germinen; retirar las malas hierbas, en especial hacerlo por última vez en otoño antes del período invernal; a partir de finales de otoño tapar con fibra textil o ramas secas.
Recolección: se puede recolectar durante todo el invierno; cortar el rosetón completo.
Sustancias que contiene: minerales (sobre todo hierro), vitaminas (sobre todo vitamina C).
Otros tipos y variedades: «Dunkelgrüner Vollherziger» (variedad de otoño e invierno), «Vit» (cultivo durante todo el año, grandes plantas independientes).

Mastuerzo, berro de jardín
Lepidium sativum

Acelga (de penca)
Beta vulgaris var. *cicla*

Espinaca
Spinacia oleracea

DISTANCIA ENTRE HILERAS: 10 cm
RECOLECCIÓN: de ppos. primavera a ppos. otoño
hortaliza de hoja

DISTANCIA ENTRE PLANTAS: 40 x 30 cm
RECOLECCIÓN: de (ppos. primavera) ppos. verano hasta ppos. otoño
verdura de penca

DISTANCIA ENTRE PLANTAS: 20 x 3 cm
RECOLECCIÓN: desde ppos. primavera hasta fin. otoño
verdura de hoja

Familia: Brasicáceas (*Brassicaceae*)
Cultivo: siembra directa al aire libre desde finales de invierno a finales de verano, esparcir las semillas en hileras, presionar ligeramente y cubrir con algo de tierra; regar bien; hay posibilidad de otras siembras cada dos semanas; cambiar de lugar al cabo de dos o tres años; se puede sembrar bajo cristal, incluso en semilleros de papel textil húmedo.
Suelo: rico en humus, mullido, permeable.
Cuidados: poco exigentes de nutrientes; es un cultivo que no precisa de cuidados y de rápido crecimiento, por lo que resulta ideal para jardineros «novatos» e impacientes; no precisa de abono; en pleno verano sembrar en lugares sombríos o las plantas «darán el estirón».
Recolección: se puede recolectar dos o tres semanas después de la plantación; se corta toda la planta.
Sustancias que contiene: minerales (hierro, calcio), vitamina C, provitamina A (carotina), aceite de mostaza, principios amargos.
Otros tipos y variedades: «Mega» (variedad de mucho crecimiento con hojas grandes), mastuerzo rizado (hojas rizadas, sabor suave).

Familia: Quenopodiáceas (*Chenopodiaceae*)
Cultivo: siembra directa al aire libre desde principios de primavera hasta mediados de verano, a unos 2 ó 3 cm de profundidad; sembrar en hileras, después de que hayan germinado separarlas a unos 30 cm; realizar una pausa de cultivo por lo menos cada tres años y durante ese tiempo tampoco se deben plantar otras quenopodiáceas.
Suelo: rico en humus, profundo y no demasiado seco.
Cuidados: exigencia media de nutrientes; antes de la plantación hay que suministrar compost al suelo; si se aprecian carencias utilizar fertilizante de boro; acolchar; mantener el suelo húmedo con regularidad y de esa forma las pencas se mantendrán muy tiernas.
Recolección: la primera cosecha se puede hacer, más o menos, a los tres meses de la siembra; en caso de que deban invernar se las proveerá de un recubrimiento hecho con ramas secas o material textil, y de esa forma en primavera se podrán hacer varias cosechas.
Sustancias que contiene: minerales, vitamina C, provitamina A (carotina), ácido oxálico.
Otros tipos y variedades: «Bressane» (verde con penca blanca), «Rhubarb Chard» (pencas color rojo fuego), «Vulkan» (pencas color rojo brillante).

Familia: Quenopodiáceas (*Chenopodiaceae*)
Cultivo: siembra directa al aire libre, según la variedad, desde med. invierno a ppos. otoño, a unos 3 ó 4 cm de profundidad; pausa de cultivo por lo menos cada tres años y durante ese tiempo tampoco se deben plantar otras quenopodiáceas.
Suelo: rico en humus, profundo (¡las raíces deben llegar hasta un metro de profundidad!) y no demasiado seco, calizo.
Cuidados: exigencia media de nutrientes; antes de la plantación hay que suministrar compost al suelo; mullir de forma regular, mantener húmedo (disminuye el enriquecimiento de nitrato) y libre de malas hierbas; las variedades de invierno deben ser recubiertas con ramas secas o material textil, o bien cultivar debajo de un túnel de plástico.
Recolección: la primera cosecha se consigue unas ocho semanas después de la siembra; retirar hoja a hoja; recolectar antes de que aparezcan los primeros brotes de flores, de lo contrario las hojas sabrán amargas.
Sustancias que contiene: minerales (hierro, potasio), vitamina C, provitamina A.
Otros tipos y variedades: «Valeta» (para cultivo de primavera muy productiva), «San Félix» (hoja oscura, resistente a enfermedades).

Coliflor
Brassica oleracea var. *botrytis*

Brócoli, brécol
Brassica oleracea var. *italica*

Col rizada, col verde
Brassica oleracea var. *sabellica*

DISTANCIA ENTRE PLANTAS: 40 x 50 cm
RECOLECCIÓN: de ppos. primavera a med. otoño
verdura de col

DISTANCIA ENTRE PLANTAS: 40 x 50 cm
RECOLECCIÓN: desde fin. primavera hasta ppos. otoño
verdura de col

DISTANCIA ENTRE PLANTAS: 50 x 50 cm
RECOLECCIÓN: ppos. otoño hasta med. invierno
verdura de col

Familia: Brasicáeas (*Brassicaceae*)
Cultivo: siembra al aire libre a partir de ppos. primavera hasta ppos. verano; sembrar a 2 cm de profundidad; a fin. primavera o ppos. verano trasplantar los plantones germinados; realizar una pausa de cultivo por lo menos cada tres años y durante ese tiempo tampoco se deben plantar otras verduras de col ni espinacas.
Suelo: rico en humus, algo barroso, calizo.
Cuidados: muy exigente de nutrientes; antes de la plantación hay que suministrar compost al suelo; tres o cuatro semanas después de la plantación se debe realizar un acolchado; ocuparse de que haya una humedad regular en el suelo.
Recolección: primera cosecha tres o cuatro meses después de la siembra; primero cortar las hojas situadas más abajo; sabe mejor cuando han soportado alguna helada.
Sustancias que contiene: proteínas, vitamina C, provitamina A (carotina), minerales (entre otros, potasio, calcio, fósforo, hierro), ácidos de fruta.
Otros tipos y variedades: «Arsis» (muy resistente a las heladas, se pueden congelar muy bien), «Niedriger Grüner Krauser» (variedad pequeña con hojas muy rizadas), «Red Bor» (hojas color vino tinto, rizadas y sueltas).

Familia: Brasicáeas (*Brassicaceae*)
Cultivo: siembra a partir de med. invierno bajo cristal, plantar a partir de fin. invierno o ppos. primavera; se puede colocar en el bancal a partir de ppos. verano; plantar profundas, pausa de cultivo por lo menos cada cuatro años y durante ese tiempo tampoco se deben plantar otras verduras de col, espinacas o rábanos largos.
Suelo: rico en humus y en estructura, no demasiado seco, calizo.
Cuidados: muy exigente de nutrientes; antes de la plantación hay que suministrar compost al suelo; ocuparse de que haya humedad constante en el suelo; cada cuatro semanas abonar con purín de plantas; acolchar; las variedades de invierno deben ser recubiertas con material textil.
Recolección: la primera cosecha se realiza unas diez o doce semanas después de la siembra, tan pronto como las cabezas blancas estén formadas; justo antes de la recolección y para que se mantengan blancas, habrá que tapar las cabezas con follaje cortado.
Sustancias que contiene: ricas en vitamina C.
Otros tipos y variedades: «Graffiti» (cabezas color violeta que se vuelven verdes al cocinar), «Neckarperle» (para cultivo desde la primavera hasta el otoño), «Catalina» (para su cultivo en otoño), «Presto» (muy precoz, dea principios de otoño).

Familia: Brasicáeas (*Brassicaceae*)
Cultivo: siembra a partir de med. invierno hasta ppos. primavera bajo cristal, plantar a partir de fin. invierno o ppos. primavera; se puede hacer siembra directa en el bancal a partir de ppos. primavera hasta ppos. verano; pausa de cultivo por lo menos cada tres años y durante ese período tampoco se deben plantar otras verduras de col ni espinacas.
Suelo: rico en humus y en nutrientes, no demasiado seco.
Cuidados: muy exigente de nutrientes; antes de la plantación hay que suministrar compost al suelo; ocuparse de que haya una humedad constante en el suelo; acolchar; si se da un comienzo de la «flor» abonar con purín de ortigas; para el proceso de cosecha y para la protección con los parásitos tapar con material textil; puede permanecer en el bancal hasta entrado el invierno.
Recolección: la primera cosecha se logra unas seis u ocho semanas después de la siembra, tan pronto como las cabezas estén firmes y tupidas; cortar la «cabeza» principal y se formarán brotes laterales.
Sustancias que contiene: ricas en vitaminas y minerales (sobre todo provitaminas A y B).
Otros tipos y variedades: «Marathon» (variedad semitardía), «Minarett» y «Romanesco» (cabezas color verde amarillento).

  Sol Semisombra ● Sombra Regar mucho Regar con moderación Regar poco

Colinabo
Brassica oleracea var. *gongylodes*

Coles de Bruselas
Brassica oleracea var. *gemmifera*

Lombarda, repollo
Brassica oleracea var. *capitata*

DISTANCIA ENTRE PLANTAS: 30 x 25 cm
RECOLECCIÓN: desde ppos. hasta med. verano
verdura de col

Familia: Brasicáceas (*Brassicaceae*)
Cultivo: siembra a partir de med. invierno bajo cristal, plantar a partir de ppos. primavera al aire libre; no plantar demasiado profundo; siembra directa en el bancal desde ppos. hasta fin. primavera; pausa de cultivo por lo menos cada tres años y durante ese tiempo tampoco se deben plantar otras verduras de col ni espinacas.
Suelo: rico en humus y en nutrientes, no demasiado seco.
Cuidados: exigencia media de nutrientes; debe mantenerse una humedad regular en el suelo, si se riega mucho el suelo seco los tubérculos fracasan; acolchar.
Recolección: a unas ocho semanas después de la plantación ya estarán listos para cosechar; no dejar que los bulbos crezcan demasiado o se volverán leñosos; las hojas jóvenes se pueden utilizar para platos de puchero.
Sustancias que contiene: ácidos de fruta, en especial en las hojas hay vitamina C, provitamina A (carotina) y minerales (calcio y hierro).
Otros tipos y variedades: «Azur» (tubérculos azules, muy firmes), «Delicatess» (tubérculos azules, para cultivo de verano), «Superschmelz» (tubérculos blancos, muy grandes, variedad muy acreditada).

DISTANCIA ENTRE PLANTAS: 50 x 60 cm
RECOLECCIÓN: desde fin. verano hasta fin. otoño (fin. invierno)
verdura de col

Familia: Brasicáceas (*Brassicaceae*)
Cultivo: siembra directa en el bancal a partir de ppos. primavera; desde ppos. primavera hasta fin. primavera colocar los plantones ya germinados; pausa de cultivo por lo menos cada tres años y durante ese tiempo tampoco se deben plantar otras verduras de col ni espinacas.
Suelo: rico en humus y en estructura, no demasiado ligero.
Cuidados: muy exigente de nutrientes; antes de la plantación hay que suministrar compost maduro; ocuparse de que haya una humedad regular en el suelo; amontonar la tierra para que las plantas se mantengan más firmes.
Recolección: lo mejor es después de la primera helada (en ese momento desarrollan su pleno aroma), recolectar desde abajo hacia arriba los rosetones que estén bien pegados al troncho; en las de variedades tempranas los rosetones serán mayores y se cerrarán firmemente cuando se «decapite» el brote de la punta.
Sustancias que contiene: potasio, hierro, proteínas, ácido cítrico, mucha vitamina C.
Otros tipos y variedades: «Hild´s Ideal» (variedad de otoño e invierno bastante dura frente a las heladas, se puede recolectar durante mucho tiempo), «Lunet» (variedad de otoño), «Rosella» (variedad de otoño con rosetones rojos).

DISTANCIA ENTRE PLANTAS: 50 x 60 cm
RECOLECCIÓN: de ppos. primavera a med. otoño
verdura de col

Familia: Brasicáceas (*Brassicaceae*)
Cultivo: las variedades de primavera y verano se siembran a partir de med. a fin. invierno bajo cristal; en las zonas frías a partir de fin. invierno o ppos. primavera se colocan en el bancal; la siembra de variedades de otoño y para almacenamiento se hace en directo sobre el bancal a partir de ppos. o med. de primavera; realizar una pausa de cultivo por lo menos cada cuatro años y durante ese período tampoco se deben plantar otras verduras de col, rábanos largos ni espinacas.
Suelo: rico en humus, barroso, no demasiado seco, calizo.
Cuidados: muy exigente de nutrientes; antes de la plantación hay que suministrar compost al suelo; ocuparse de que haya una humedad regular en el suelo; no regar directamente sobre las hojas; durante el tiempo de crecimiento tratar tres o cuatro veces con un purín de plantas o bien abonar con un abono orgánico fluido; acolchar.
Recolección: tan pronto como se hayan formado las primeras cabezas firmes (a los cinco meses, más o menos, de la plantación).
Sustancias que contiene: mucha vitamina C, ácidos de fruta, antociano.
Otros tipos y variedades: «Allrot» (para cultivos tempranos y tardíos; se puede almacenar), «Marner Frührot» (variedad temprana), «Marner Lagerrot» (variedad acreditada para el almacenamiento).

Judía de porte bajo
Phaseolus vulgaris var. *nanus*

Guisante
Pisum sativum

Ajo
Allium sativum

DISTANCIA ENTRE PLANTAS: 40 x 40 cm
RECOLECCIÓN: desde ppos. verano hasta ppos. otoño
leguminosas

DISTANCIA ENTRE PLANTAS: 40 x 5 cm
RECOLECCIÓN: desde ppos. o fin. primavera hasta med. verano
leguminosas

DISTANCIA ENTRE PLANTAS: 10 x 5 cm
RECOLECCIÓN: desde ppos. hasta fin. verano
hortaliza de bulbo

Familia: Fabáceas (*Fabaceae*)
Cultivo: siembra bajo cristal en maceta a partir de ppos. primavera; trasplantar a partir de ppos. primavera; siembra directa al aire libre a partir de ppos. primavera; sembrar de cuatro a seis semillas juntas a una profundidad de unos 3 cm; pausa de cultivo por lo menos cada tres años y durante ese tiempo tampoco se deben plantar otras leguminosas.
Suelo: mullido, rico en humus, permeable y calizo.
Cuidados: poco exigente de nutrientes; es necesario amontonar tierra en la base de la vara de la planta para que se mantengan firmes; las leguminosas enriquecen el suelo con nitrógeno, por lo que al recolectar hay que cortar la planta por completo, dejando la raíz en el suelo.
Recolección: a las diez semanas de la siembra ya están listas para la cosecha; recolectar de forma continuada; las judías jóvenes son las más tiernas; consumirlas cocinadas pues la ingesta en crudo de grandes cantidades puede resultar tóxica.
Sustancias que contiene: minerales (sobre todo potasio), enzimas, lignina.
Otros tipos y variedades: «Annabelle» (legumbre verde), «Negra» (tierna judía tipo Filet), «Boby» (vaina cilíndrica), variedades de porte alto o de enrame.

Familia: Fabáceas (*Fabaceae*)
Cultivo: siembra directamente al aire libre a partir de fin. invierno (guisantes verdes y guisantes dulces), a partir de ppos. primavera (guisantes de verano); sembrar juntas de tres a seis semillas a una profundidad de unos cinco centímetros; pausa de cultivo cada tres o cuatro años y durante ese tiempo tampoco se deben plantar otras leguminosas.
Suelo: rico en humus, permeable y mullido.
Cuidados: poco exigente de nutrientes; amontonar tierra en la base de la vara para que las plantas se mantengan más firmes; las variedades de mayor altura se deben sujetar con ramas o alambradas; las leguminosas enriquecen el suelo con nitrógeno, por lo que al recolectar hay que cortar la planta por completo pero dejando la raíz en el suelo.
Recolección: a las diez semanas de la siembra ya están listos para su cosecha; los guisantes dulces se deben recolectar con la vaina; los de verano y los verdes sólo la semilla; la ingesta en crudo de grandes cantidades puede resultar tóxica.
Sustancias que contiene: vitamina B, proteínas, sustancias de lastre, azúcar.
Otros tipos y variedades: guisante dulce «Norli» (planta de tamaño bajo, variedad temprana, también para cultivo en maceta), guisante «Tirabeque» (variedad semitardía, también se consume la vaina).

Familia: Liliáceas (*Liliaceae*)
Cultivo: los dientes de las variedades de invierno se deben introducir en el suelo, a unos 5 cm de profundidad, a principios de otoño; las variedades tempranas se plantan a fin. invierno; todos los años se debe cambiar la ubicación de la superficie de cultivo, y en ese mismo año tampoco se puede utilizar el bancal para cultivar otras verduras de bulbo.
Suelo: rico en humus, mullido, sin humedad, suelos pesados.
Cuidados: exigencia media de nutrientes; no necesita muchos cuidados; en cultivos mixtos son compañeros ideales de las zanahorias, también se pueden colocar entre las fresas; dejar de regar una vez que la hoja comience a amarillear.
Recolección: recolectar los dientes cuando el tercio inferior de la planta comience a ponerse amarillo y a secarse; para almacenar dejarlos secar muy bien.
Sustancias que contiene: hidratos de carbono, minerales, proteínas, vitaminas, aceite de mostaza.
Otros tipos y variedades: ajos blancos, rústicos y tardíos, ajos rosados, más precoces y se conservan menos que los blancos.

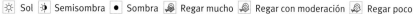

Cebolla
Allium cepa

Puerro
Allium porrum

Cebolleta
Allium fistulosum

DISTANCIA ENTRE PLANTAS: 20 x 5 cm
RECOLECCIÓN: ppos. verano a med. verano
hortaliza de bulbo

DISTANCIA ENTRE PLANTAS: 30 x 15 cm
RECOLECCIÓN: de fin. primavera a ppos. primavera
hortaliza de bulbo

DISTANCIA ENTRE PLANTAS: 40 x 40 cm
RECOLECCIÓN: desde fin. invierno hasta med. otoño
hortaliza de bulbo

Familia: Liliáceas (*Liliaceae*)
Cultivo: lo mejor es colocar directamente en el bancal las cebollitas de plantar a partir de fin. invierno (la siembra dura bastante más); las variedades que deban pasar el invierno deben ser sembradas a med. verano y luego la recolección se hará a partir de ppos. primavera; pausa de cultivo cada cinco años y durante ese tiempo tampoco se deben plantar otras verduras de bulbo.
Suelo: mullido, rico en humus, permeable.
Cuidados: exigencia media de nutrientes; en caso de tiempo seco es necesario regar; aflojar con cuidado el suelo entre las hileras (las raíces están situadas muy superficiales).
Recolección: cuando empiece a brotar, quitar el verde de las cebollas, dejar sólo una o dos varas por cebolla; las primeras cebollas estarán dispuestas a partir de fin. primavera; la cosecha principal para almacenar se debe hacer una vez que la hoja se haya marchitado; para almacenar hay que dejar primero que se sequen bien en el bancal, colocar luego en cajas planas, o bien colgar en forma de ristras.
Sustancias que contiene: ácidos de fruta, aceite de mostaza.
Otros tipos y variedades: «Centurion» (de cáscara amarilla, firmes, se pueden almacenar), «Exhibition» (grande, bulbo muy suave), «Presto» (variedad de invierno), «Blanca de España» (cebolla grande y precoz), «Morada de España» (grande y de piel morada).

Familia: Liliáceas (*Liliaceae*)
Cultivo: colocación, con cobertura de fibra textil, de los plantones ya germinados a partir ppos. primavera (variedades de verano) y hasta ppos. primavera; a fin. primavera (variedades de invierno) y a med. verano (variedades de invierno); plantar profundas y amontonar tierra encima; pausa de cultivo cada tres años y durante ese tiempo tampoco se deben plantar otras verduras de bulbo.
Suelo: profundo, rico en humus, mullido.
Cuidados: muy exigente de nutrientes; antes de la plantación hay que suministrar al suelo un compost o estiércol descompuesto y aportar en dos ocasiones un abono mineral; antes de la entrada de las heladas hacer montones alrededor de las plantas y cubrir con ramas secas o fibra textil.
Recolección: las variedades de verano deben recolectarse antes de las heladas; las variedades invernales pueden estar en el bancal si disponen de una cobertura; las plantas deben ser sacadas con una pala o una laya, después se extraerán de la tierra y se cortarán la raíces.
Sustancias que contiene: minerales, vitaminas, aceite de mostaza, ácidos de fruta.
Otros tipos y variedades: «Alaska» (variedad de invierno), «Elefant» (variedad de otoño), «Atal» (variedad temprana), «Goliat» (variedad de verano y de otoño).

Familia: Liliáceas (*Liliaceae*)
Cultivo: siembra directa en el bancal a partir de ppos. primavera; a fin. primavera quitar las cebollitas de las plantas más antiguas y luego introducirlas en la tierra en forma de manojos.
Suelo: mullido, permeable.
Cuidados: poco exigente de nutrientes; si hay tiempo seco se debe regar; las varas de cebolla de varios años se deben separar cada tres o cuatro y plantar de nuevo.
Recolección: a partir de fin. invierno se pueden cortar los primeros tallos verdes de las cebollas y, ya en pleno invierno, se formarán «cavidades» verdes; en un primer momento se recolectarán las hojas, que se pueden utilizar como los cebollinos; las cebollas (algunas variedades ni siquiera llegan a formarla) también son comestibles.
Sustancias que contiene: ácidos de fruta, aceite de mostaza.
Otros tipos y variedades: «Evergreen Bunching» (no forma bulbos), «Mythos» (muy resistentes frente a las heladas), «Winterhecke» (no forma bulbos); la cebolla de invierno se puede sembrar como la cebolleta; no forman bulbo, y sólo se recolecta el follaje y las varas.

 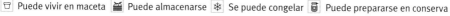

Hinojo de Florencia
Foeniculum vulgare var. *azoricum*

Apio
Apium graveolens

Zanahorias
Daucus carota ssp. *sativus*

DISTANCIA ENTRE PLANTAS: 30 x 20 cm
RECOLECCIÓN: desde principios hasta finales de verano
tubérculo

Familia: Apiáceas (*Apiaceae*)
Cultivo: siembra desde principios de primavera hasta principios de verano directamente al aire libre y formando hileras de 1,5 a 2 centímetros de profundidad; si las plantas están demasiado cerca se deben separar a una distancia de 20 centímetros; los plantones ya germinados deben colocarse en la tierra a partir de principios de primavera; pausa de cultivo de al menos tres años y durante ese tiempo tampoco se deben plantar otras umbelíferas.
Suelo: rico en humus, no demasiado ligero pero tampoco muy duro, suelos húmedos.
Cuidados: exigencia media de nutrientes; antes de la plantación hay que suministrar compost al suelo.
Recolección: la cosecha se hará tan pronto como los tubérculos sean lo bastante grandes, y como muy tarde de principios a mediados de otoño; los tubérculos se han de tapar con follaje, paja o material textil una vez que amenacen las primeras heladas nocturnas; si son demasiado grandes, los tubérculos perderán su aroma; utilizar las hojas a modo de especia.
Sustancias que contiene: minerales (sobre todo potasio, magnesio, hierro), vitamina C, provitamina A (carotina), aceites esenciales, ácidos de fruta.
Otros tipos y variedades: «Rudy» (variedad temprana muy firme), «Selma» (cultivo durante todo el año).

DISTANCIA ENTRE PLANTAS: 40 x 40 cm
RECOLECCIÓN: desde finales de verano hasta principios de otoño
tubérculo

Familia: Apiáceas (*Apiaceae*))
Cultivo: la plantación en el exterior de los plantones ya germinados se hará, como muy pronto, a partir de principios de primavera; no colocar muy profundos, los tubérculos se desarrollan en parte por encima de la tierra; pausa de cultivo de al menos dos años y durante ese tiempo tampoco se deben plantar otras umbelíferas.
Suelo: rico en humus, algo duro, que almacene bien el agua.
Cuidados: tienen una exigencia fuerte de nutrientes; antes de la plantación hay que suministrar compost al suelo o un abono de potasio que contenga cloro; acolchar; espolvorear sal sobre los tubérculos y crecerán mejor; en el caso de aparición de carencias, administrar abono de boro («Borax»).
Recolección: las hojas se utilizan continuamente a modo de especias; los tubérculos a principios de otoño, antes de las primeras heladas; para almacenar (en una caja llena de arena) cortar las hojas a unos cinco centímetros.
Sustancias que contiene: minerales, aceites esenciales.
Otros tipos y variedades: *A. graveolens* var. *rapaceum* es el apio-rábano o apio-nabo (cultivado por su raíz muy aromática).

DISTANCIA ENTRE PLANTAS: 25 x 10 cm
RECOLECCIÓN: desde finales de primavera hasta principios de otoño
hortaliza de raíz

Familia: Apiáceas (*Apiaceae*)
Cultivo: siembra directa en el bancal desde fin. invierno hasta ppos. de verano, en hileras separadas unos 25 cm, a uno o dos centímetros de profundidad; separar las plantas unos 10 cm aproximadamente entre sí; pausa de cultivo de al menos tres años y durante ese tiempo tampoco se deben plantar otras umbelíferas.
Suelo: mullido, ligero, arenoso, rico en humus.
Cuidados: son de una exigencia entre media y elevada de nutrientes; no soportan los abonos frescos orgánicos; hay que ocuparse de que siempre haya una humedad regular en el suelo para que las zanahorias no se frustren; cubrir con tierra las zanahorias que sobresalgan del suelo o se pondrán verdes.
Recolección: las variedades tempranas se recolectan cada tres o cuatro meses, tan pronto como las zanahorias sean bastante grandes; las variedades para almacenar deben dejarse el máximo tiempo posible en el bancal, pues así mejorará su aroma.
Sustancias que contiene: minerales (entre otros, potasio, hierro), provitamina A (carotina), aceites esenciales, ácidos de fruta.
Otros tipos y variedades: «Almaro» (variedad temprana, dulce); «Nelson» (variedad temprana), «Laguna» (rápido crecimiento, posibilidad de almacenamiento); «Rothild» (variedad tardía destinada al almacenamiento).

 Sol Semisombra ● Sombra Regar mucho Regar con moderación Regar poco

Rabanito redondo
Raphanus sativus var. *sativus*

Rábano largo
Raphanus sativus var. *niger*

Remolacha roja
Beta vulgaris var. *vulgaris*

DISTANCIA ENTRE PLANTAS: 10 x 5 cm
RECOLECCIÓN: desde ppos. primavera hasta fin. verano
hortaliza de raíz

Familia: Brasicáeas (*Brassicaceae*)
Cultivo: desde fin. invierno hasta med. verano, se siembra directo en el bancal de hileras de las variedades de primavera y verano, a 1 cm de profundidad; una vez que hayan brotado aclarar hasta separarlas a 5 cm; con una siembra semanal se puede estar recolectando de forma constante; pausa de cultivo cada tres años y durante ese tiempo tampoco se deben plantar otras crucíferas ni coles.
Suelo: rico en humus, mullido.
Cuidados: poco exigente de nutrientes; hay que ocuparse de que siempre haya una humedad regular en el suelo; apropiados como cultivo final, intermedio y cultivo de marcación.
Recolección: debajo de textil o en túnel de plástico, en primavera se puede recolectar a las seis semanas de la siembra, en verano la recolección se hace cuatro semanas después de la siembra.
Sustancias que contiene: ácidos de fruta, aceite de mostaza.
Otros tipos y variedades: «Eiszapfen» (variedad blanca de primavera y otoño, forma cilíndrica); «Fanal» (redondos, rojos, variedad de primavera y otoño), «French breakfast» (largos, variedad blanquirroja de primavera y otoño); «Riesenbunter» (variedad grande, redonda y roja).

DISTANCIA ENTRE PLANTAS: 20 x 15 cm
RECOLECCIÓN: desde fin. primavera hasta ppos. otoño
hortaliza de raíz

Familia: Brasicáeas (*Brassicaceae*)
Cultivo: desde ppos. primavera se siembran las variedades de verano; las de otoño e invierno se siembran hasta med. verano, a 2 ó 3 cm de profundidad; una vez que hayan brotado aclarar hasta separarlas a 15 cm; pausa de cultivo de al menos tres años y durante ese tiempo tampoco se deben plantar otras crucíferas ni coles.
Suelo: ligero, mullido, rico en humus.
Cuidados: muy exigente de nutrientes; antes de la siembra suministrar abundante compost al suelo; hay que ocuparse de que siempre haya una humedad regular en el terreno.
Recolección: las variedades tempranas bajo textil o túnel de plástico están preparadas para la recolección a partir de fin. primavera; no hay que dejar que se hagan demasiado grandes, de lo contrario se volverán duros y leñosos; las variedades invernales se recolectan desde ppos. otoño, y de todas formas hay que hacer la cosecha antes de que las hojas amarilleen; almacenar en una caja con arena.
Sustancias que contiene: ácidos de fruta, aceite de mostaza.
Otros tipos y variedades: «April Cross» (variedad temprana muy firme), «Hilds Blauer Herbst und Winter» (variedad tardía); «Neptun» (blanco, grande, picante y resistente a la enfermedad de la raíz negra del rábano); «Runder Schwarzer Winter» (variedad tardía buena para el almacenamiento).

DISTANCIA ENTRE PLANTAS: 25 x 8 cm
RECOLECCIÓN: desde med. verano hasta ppos. otoño
hortaliza de raíz

Familia: Quenopodiáceas (*Chenopodiaceae*)
Cultivo: siembra desde ppos. primavera hasta ppos. verano directamente en el bancal, a 2 ó 3 cm de profundidad; presionar muy bien las simientes; una vez que hayan despuntado aclarar para separar a unos 8 cm (en el caso de que la siembra haya sido con una sola semilla no es necesario el aclarado); a partir de ppos. primavera colocar plantones ya germinados procedentes del horticultor; realizar una pausa de cultivo al menos cada dos años y durante ese período tampoco se deben plantar otras quenopodiáceas.
Suelo: rico en humus, profundo, no demasiado duro, que no sea calizo.
Cuidados: muy exigente de nutrientes; enriquecer el suelo con compost antes de la siembra o de la plantación; hay que ocuparse de que siempre haya una humedad regular en el suelo.
Recolección: a partir de med. verano están maduros para un consumo inmediato; para almacenar no recolectar antes de ppos. otoño; retirar las hojas y colocar en cajas con arena.
Sustancias que contiene: minerales (entre otros, potasio), vitamina C, ácidos orgánicos.
Otros tipos y variedades: «Plana de Egipto» (variedad de verano), «Burpees Golden» (variedad antigua, amarilla, con aroma dulce), «Redonda roja» (variedad temprana).

Berenjena
Solanum melongena

Pimiento, guindilla
Capsicum annuum

Pepino
Cucumis sativus

DISTANCIA ENTRE PLANTAS: 50 x 50 cm
RECOLECCIÓN: desde fin. primavera hasta fin. verano
hortaliza de fruto

DISTANCIA ENTRE PLANTAS: 40 x 60 cm
RECOLECCIÓN: desde ppos. hasta fin. verano
hortaliza de fruto

DISTANCIA ENTRE PLANTAS: 120 x 30 cm
RECOLECCIÓN: desde ppos. hasta fin. verano
hortaliza de fruto

Cultivo: siembra en invernadero a med. invierno, aclarar después de dos semanas, trasplantar a partir de ppos. primavera; si se planta al aire libre, hacerlo a ppos. primavera; plantar con una vara, de modo semejante a lo que se hace con los tomates; cambiar de lugar de forma constante, pero no plantar nunca como cultivo posterior a los tomates o a las patatas.
Suelo: rico en humus, profundo, rico en nutrientes.
Cuidados: muy exigente de nutrientes; enriquecer el suelo con compost antes de la plantación; dos semanas después de la plantación aportar abono orgánico; rodrigar (sujetar a las varas); no regar demasiado por arriba; eliminar el exceso de hojas y brotes.
Recolección: unos tres meses después de la plantación; recolectar los frutos con el cáliz y el tallo.
Sustancias que contiene: minerales, vitaminas.
Otros tipos y variedades: «Bonica» (frutos violeta oscuro), «Golden Eggs» (frutos blancos y del tamaño de un huevo de gallina); «Madonna» (frutos de color violeta oscuro, para cultivar en maceta), «Listada de Gandía» (frutos violeta y blanco).

Cultivo: se siembra en el alfeizar de la ventana o en invernadero a partir de fin. invierno; después de unas dos semanas separar en macetas; a partir de ppos. primavera trasplantar, colocar profundos; pausa de cultivo cada tres o cuatro años y durante ese tiempo tampoco se deben plantar tomates ni patatas.
Suelo: profundo, rico en humus, rico en nutrientes, que se caliente con facilidad.
Cuidados: muy exigente de nutrientes; antes de la plantación enriquecer el suelo con compost, o bien con estiércol de establo descompuesto; abonar dos o tres veces; las variedades altas deben ser atadas a varas.
Recolección: si son bastante grandes, a partir de ppos. verano se podrán recolectar los primeros frutos verdes de todas las variedades; los frutos maduros por completo, ya sean rojos o amarillos, según la variedad, son más ricos en vitamina C.
Sustancias que contiene: minerales (entre otros, hierro), mucha vitamina C, carotina.
Otros tipos y variedades: Guindillas: «Fireflame» (alargados, frutos rojos); «California» (frutos rojos, verdes o amarillos); «Lamuyo» (frutos rojos), «Italiano» (verdes y alargados); «Padrón» (pequeños, pueden ser muy picantes).

Cultivo: se siembra a partir de ppos. primavera en maceta, en el invernadero, y a partir de ppos. primavera se trasplanta, o bien a ppos. primavera se siembra directamente al aire libre, para luego aclarar; pausa de cultivo cada tres años.
Suelo: rico en humus, mullido, que se caliente con facilidad, rico en nutrientes.
Cuidados: muy exigente de nutrientes; antes de la plantación enriquecer el suelo con compost; ocuparse de que siempre haya una humedad constante en el suelo; no regar con agua demasiado fría; acolchar; los pepinos de ensalada trepan por alambradas o cuerdas.
Recolección: las variedades de ensalada y el cohombro se pueden recolectar unas dos semanas después de la floración; los pepinos para hacer encurtidos se pueden cosechar de acuerdo con el tamaño deseado; se debe tener cuidado a la hora de quitarlos de las varas; los frutos que amarilleen se pueden utilizar para «pepinillos en mostaza».
Sustancias que contiene: minerales, vitaminas, ácidos de fruta.
Otros tipos y variedades: «Amber» (pepinos para encurtir), «Belcanto» (pepino de ensalada libre de principios amargos), «Delikatess» (los jóvenes se utilizan como pepinos de encurtidos, los crecidos se pueden utilizar para ensalada), «Sudica» (con gran cantidad de frutos).

Calabaza
Cucurbita maxima

Tomate
Lycopersicon esculentum var. *esculentum*

Calabacín
Cucurbita pepo var. *melopepo*

DISTANCIA ENTRE PLANTAS: 1,50 x 2,5 m
RECOLECCIÓN: ppos. otoño
hortaliza de fruto

Cultivo: se siembra a partir de fin. invierno en el invernadero, a partir de ppos. primavera trasplantar, o bien a ppos. primavera sembrar directamente al aire libre; prosperan bien a los pies de una pila de compost, ya sea en bancal alto o de colina.
Suelo: rico en humus, rico en nutrientes, cálido.
Cuidados: muy exigente de nutrientes; se ha de enriquecer bien el suelo con compost; ocuparse de que siempre haya una humedad constante en el terreno; acolchar; cortar los brotes laterales a 60-100 cm; colocar tableros de madera o paja debajo de los frutos para que no se pudran.
Recolección: antes de las primeras heladas, recolectar una vez que estén maduros por completo (comprobar que el tallo tiene aspecto leñoso y, al golpearlo, el fruto emita un sonido a hueco); las flores son también comestibles.
Sustancias que contiene: minerales (sobre todo potasio), vitamina C, provitamina A (carotina).
Otros tipos y variedades: «Big Max» (calabazas gigantes de color amarillo marrón y un peso de hasta 100 kilogramos); «Buttercup» (plana redonda, verde oscura, con aroma a nuez moscada); «Chioggia» (plana redonda, verde oscura con manchas), «Calabaza spaghetti» (frutos largos y carne fibrosa).

DISTANCIA ENTRE PLANTAS: 50 x 80 cm
RECOLECCIÓN: desde ppos. verano hasta ppos. otoño
hortaliza de fruto

Cultivo: se siembra a med. o fin. invierno bajo cristal; separar en macetas; a partir de ppos. primavera plantar en invernadero; la plantación al aire libre se hace a partir de ppos. primavera; colocar profundo, colocar en seguida unas varas de apoyo; cambiar de lugar cada año.
Suelo: rico en humus y en nutrientes.
Cuidados: muy exigente en nutrientes; enriquecer bien el suelo con compost; sujetar a las varas de apoyo; romper con regularidad los brotes en las inserciones de las hojas; en el momento en que empiecen a fructificar recortar la punta del brote principal (a excepción de los tomates de arbustos); eliminar el exceso de hojas; no regar la planta desde arriba; tras la plantación, y a principios de verano, realizar un abonado; en zonas desfavorables tapar la planta.
Recolección: a partir de ppos. verano se cosechan los frutos ya maduros. ¡Los verdes son tóxicos si se comen crudos!
Sustancias que contiene: minerales, vitaminas, azúcar, ácidos de la fruta.
Otros tipos y variedades: hay diversas variedades, rojos y amarillos, de frutos grandes o pequeños como los de tipo *cocktail*, tomates de ramillete, de Roma, *cherry* o de vara.

DISTANCIA ENTRE PLANTAS: 80 x 80 cm
RECOLECCIÓN: desde ppos. hasta fin verano
hortaliza de fruto

Cultivo: se siembra en macetas dentro de invernadero a partir de ppos. primavera; trasplantar desde ppos. primavera o a partir de esa fecha siembra directa al aire libre; se desarrollan muy bien en los bancales altos y los de colina.
Suelo: rico en humus, rico en nutrientes.
Cuidados: muy exigente en nutrientes; enriquecer bien el suelo con compost; durante el crecimiento abastecer dos veces de un abono completo o compost; no regar sobre las hojas; ocuparse de que el suelo tenga una humedad constante; acolchar.
Recolección: ya estarán maduros unas cuatro semanas después de la plantación; recolectar los frutos pequeños, que no pasen de los 20 cm, y tendrán un cierto sabor a nuez; los frutos demasiado grandes son menos sabrosos; las flores también son comestibles (fritas, cocinadas en hojaldre, o bien a modo de decoración).
Sustancias que contiene: minerales, vitaminas.
Otros tipos y variedades: «Ambassador» (frondoso, verde), «Black Forrest» (trepador, amarillo), «Bonito» (color blanco crema), «Diamant» (variedad de recolección temprana, frutos verdes); «Gold Rush» (amarillo oro), «Rondini» (pequeño, redondo, amarillo).

Frutas sabrosas y ricas en vitaminas

En casi todos los jardines hay árboles frutales y arbustos de bayas para suministrarnos sus aromáticos frutos, incluso como inquilinos de macetas en balcones y terrazas; son los garantes de un placer culinario.

Manzano
Malus sylvestris

En el caso de las frutas de pepitas o hueso que crecen en árboles más o menos grandes, se dispone de la elección entre los habituales «frutos de siempre», como manzanas, peras, ciruelas y cerezas en sus diversas variedades, tempranas y tardías, así como especies algo más llamativas, como los albaricoques y las ciruelas mirabeles o las claudias.

Los frutos de bayas, que la mayoría de las veces son fáciles de cuidar, cubren y satisfacen todas las expectativas: no exigen mucho espacio y hay un gran surtido de ellos, como pueden ser los grosolleros normales o espinosos, frutas trepadoras, como, por ejemplo, el kiwi o las vides, o las «bayas de suelo o de maceta», así como los fresales o los arándanos.

ALTURA: 2–8 m
ESPACIO QUE NECESITA: max. 20 m²
RECOLECCIÓN: desde ppos. verano hasta ppos. otoño

fruta de pepita

Cultivo: plantación en otoño o primavera; la mayoría de las veces no es autofértil, por lo que es mejor plantarlo junto a otra variedad que le sirva de polinizador.
Suelo: rico en humus, barroso, profundo y húmedo.
Cuidados: en los árboles jóvenes, los alcorques deben estar húmedos y mullidos; una vez que estén cubiertos de frutos se deberán apuntalar las ramas para que puedan soportar el peso; abonar todas las semanas con un purín vegetal; en invierno se deben pintar los troncos con una mano de lechada de cal; podar de forma periódica para aclarar el follaje.
Recolección: según las variedades, desde ppos. verano (por ejemplo, la clase «Klarapfel») hasta ppos. otoño (por ejemplo, la «Boskoop»); las variedades de tronco alto deben dar fruto por primera vez a los diez años, más o menos; las de tronco medio a los siete años; y los arbustos de tipo *Spindel* a los dos años; las manzanas maduras se pueden recoger muy bien retorciendo el tallo.
Sustancias que contiene: fructosa, vitaminas A y C, pectina, calcio, potasio, hierro.
Otros tipos y variedades: variedades tempranas, por ejemplo, las «Arkane» o «Sunrise»; variedades de verano, por ejemplo, «Alkmene», «Cox Orange», «Gloster», «Idared», «Jonagold»; variedades tardías, como las «Boskoop» (en la fotografía una «Boskoop» roja), «Elstar» y «Ontario».

Un árbol de espaldera adosado a un muro caliente ofrecerá también su calor a una rica cosecha de magníficas peras.

Albaricoquero
Prunus armeniaca

Peral
Pyrus communis

Ciruelo Mirabel, Mirabolano
Prunus domestica ssp. *syriaca*

ALTURA: 1,5–4 m
ESPACIO QUE NECESITA: unos 15 m²
RECOLECCIÓN: de ppos. verano a med. verano

fruta de hueso

Cultivo: plantación en otoño o primavera; el tronco y las flores se dañan con las heladas, por lo tanto es aconsejable situarlos orientados hacia el norte, para que los árboles no broten demasiado pronto; su faceta más productiva tiene lugar una vez que se planta como árbol de espaldera; autofértil.
Suelo: mullido, barroso, con suficiente humedad.
Cuidados: tras la cosecha cortar los viejos brotes y las ramas que hayan crecido irregulares o hacia dentro; los troncos deben recibir una mano de lechada de cal en invierno; los árboles de espaldera en paredes y muros se deben proteger en primavera contra el exceso de sol para que no broten antes de tiempo, pues se pueden helar las flores.
Recolección: a partir de ppos. verano de vez en cuando habrá que probar los frutos; sólo los frutos ya maduros saben dulces y su carne se separa muy bien del hueso.
Sustancias que contiene: ácidos de fruta, carotina, potasio, vitaminas, fructosa.
Otros tipos y variedades: «Blanco de Murcia» (cosecha en ppos. verano), «Camino» (cosecha en ppos. verano), «Nancy» (cosecha en med. verano).

ALTURA: 2–8 m
ESPACIO QUE NECESITA: de 5 a 12 m²
RECOLECCIÓN: desde med. verano hasta ppos. otoño

fruta de hueso

Cultivo: plantación en otoño o primavera; los frutos son más seguros y maduran si se trata de un árbol de espaldera; no es autofértil, por lo que hay que plantarlo junto a otra variedad que le sirva de polinizador.
Suelo: profundo, rico en nutrientes, cálido, no demasiado contenido de cal, protegido.
Cuidados: en el caso de árboles jóvenes mullir y mantener húmedo; si son de espaldera recortar de forma regular; cortar las ramas que hayan crecido hacia dentro y tengan varios años.
Recolección: los perales injertados sobre un patrón de membrillo fructifican a partir del cuarto año; sobre patrón franco a partir del sexto año; lo mejor es recolectar antes de la maduración completa del fruto; la mayoría de las variedades adquieren una consistencia blanda y pasada; según sea la variedad lo mejor es comprobar su estado de maduración.
Sustancias que contiene: vitaminas, fructosa, pectina, potasio, calcio, hierro.
Otros tipos y variedades: «Conferencia» (ver fotografía, recolección a fin. verano), «Temprana de Trevoux» (recolectar de ppos. a med. verano), «Condesa de París» (recolección a principios de otoño).

ALTURA: 1,5–6 m
ESPACIO QUE NECESITA: unos 20 m²
RECOLECCIÓN: med. o fin. verano

fruta de hueso

Cultivo: plantación en otoño o primavera; en lugares frescos lo mejor es plantar en primavera; autofértil.
Suelo: arenoso-barroso, permeable, bien aireado, algo húmedo.
Cuidados: en caso de árboles de fuerte crecimiento, aclarar de vez en cuando el follaje; si hay mucha lluvia los frutos se pueden frustrar.
Recolección: dan fruto después de cuatro o seis años, según sea el tipo de patrón; gran cantidad de cosecha; las ciruelas tienen puntos rojos una vez que están maduras y entonces se deben utilizar en seguida, pues se pudren con facilidad; para hacer conservas es mejor que no estén maduros del todo para que el sabor no sea tan fuerte.
Sustancias que contiene: vitamina C, fructosa, ácidos de fruta.
Otros tipos y variedades: prestar atención a las variedades resistentes a la *sharka* (es una virosis); «Mirabelle de Nancy» (fotografía, color claro hasta amarillo dorado, frutos pequeños, resistente a la sharka, aporta cosechas seguras y abundantes); «Bellamira» (verde amarillento, frutos firmes con un elevado contenido de azúcar).

Melocotonero
Prunus persica

Ciruelo
Prunus domestica

Membrillero
Cydonia oblonga

ALTURA: 2–6 m
ESPACIO QUE NECESITA: unos 15 m²
RECOLECCIÓN: desde ppos. verano hasta fin. verano

fruta de hueso

Cultivo: plantación en primavera en un lugar lo más protegido posible del viento; sólo apropiado para zonas con clima medio; la mayoría son autofértiles, sin embargo, las cosechas son más seguras cuando se planta una segunda variedad.
Suelo: rico en nutrientes y en humus, sin que retenga la humedad ni sea de una sequedad extrema, pero sí bastante húmedo, permeable.
Cuidados: poda regular en primavera, ya que los árboles sólo forman flores y frutos en los brotes de los últimos años; en caso de exceso de frutos, aclarar algo el árbol; para la formación de los frutos hay que realizar un abastecimiento regular de agua.
Recolección: los árboles plantados en primavera dan fruto ese mismo año; maduran según la variedad correspondiente; hay que recolectar con cuidado pues los frutos se pudren en las zonas donde se les presiona.
Sustancias que contiene: ácidos de fruta, fructosa, carotina y calcio.
Otros tipos y variedades: existen variedades de carne blanca y carne amarilla; «Isabella d´Este» (cosecha a principios de verano); «Miraflores» (cosecha a finales de verano), «South Haven» (cosecha a mediados de verano).

ALTURA: 2–8 m
ESPACIO QUE NECESITA: unos 20 m²
RECOLECCIÓN: desde med. a fin. verano

fruta de hueso

Cultivo: plantación en primavera o en otoño; la mayoría de las variedades son autofértiles; al comienzo crece con mucha fuerza y luego más despacio; la copa se queda bastante pequeña.
Suelo: rico en humus, arenoso-barroso, bien ventilado, rico en sustancias nutritivas, húmedo.
Cuidados: bastante fácil de mantener; en caso de abundantes frutos hay que apuntalar las ramas; cortar las que estén demasiado pegadas, desnudas o colgantes; los brotes jóvenes deben cortarse por la mitad, lo que favorece el rejuvenecimiento de la copa.
Recolección: las ciruelas están maduras una vez que el pedúnculo del fruto aparece algo arrugado; para consumo inmediato o para congelar hay que cosecharlas un poco antes de su maduración, y luego continuar con la recolección; para mermeladas, compotas y zumos utilizar frutos maduros por completo, se caen del árbol tan sólo con agitarlo un poco.
Sustancias que contiene: fructosa, vitaminas.
Otros tipos y variedades: «Ruth Gerstetter» (recolección en principios de verano, polinizador «Ersinger Frühzwetsche»); «Ontario» (recolección a mediados de verano, frutos de tono amarillo dorado, autofértil).

ALTURA: 2–5 m
ESPACIO QUE NECESITA: de 5 a 25 m²
RECOLECCIÓN: ppos. otoño

fruta de pepita

Cultivo: plantación en primavera o en otoño; autofértil; al plantar el punto del injerto debe tocar con el nivel del suelo.
Suelo: permeable, no muy calizo, cálido, no demasiado seco pero nunca encharcado.
Cuidados: no necesita mucho cuidado; aclarar de vez en cuando las ramas viejas; los membrillos cuelgan de las ramas jóvenes.
Recolección: da los primeros frutos a los dos o tres años de su plantación; pueden quedarse en el árbol hasta las primeras heladas; los ásperos frutos son duros y sólo se pueden consumir una vez que han sido cocinados (zumos, mermeladas o gelatinas); no almacenar junto con otros frutos pues pueden influir en su sabor.
Sustancias que contiene: vitamina C, mucha pectina, fructosa.
Otros tipos y variedades: «Bereczki» (en forma de pera, no demasiado duro y, por tanto, de manipulación más sencilla); «De Fontenay» (fruto grande de pulpa aromática), «De Portugal» (pulpa amarilla y fragante).

 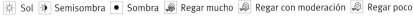

Ciruelo claudio
Prunus domestica ssp. *italica*

Cerezo común, guindo
Prunus cerasus

Ciruelo Quetche
Prunus domestica

ALTURA: 2–8 m
ESPACIO QUE NECESITA: unos 20 m²
RECOLECCIÓN: desde med. a fin. verano

fruta de hueso

Cultivo: plantación en primavera o en otoño; la mayoría de las variedades no son autofértiles y precisan de un polinizador.
Suelo: arenoso-barroso, permeable, algo húmedo pero bien ventilado.
Cuidados: aclarar de forma regular; cortar las ramas demasiado juntas, las viejas o las que estén desnudas de hojas; cortar los brotes jóvenes dejándolos en la mitad; en el caso de gran cantidad de frutos apuntalar las ramas, o bien aclarar los frutos verdes y así los que queden serán mayores y más aromáticos; plantar variedades resistentes a la sharka.
Recolección: para hacer conservas recolectar los frutos no maduros por completo; los frutos maduros (¡hay que probarlos para saberlo!) deben ser manipulados de forma inmediata pues se pudren con facilidad.
Sustancias que contiene: fructosa, ácidos de fruta, vitamina C, carotina.
Otros tipos y variedades: «Reina Claudia» (recolección de principios a mediados de verano); «Oullins Reneclaude» (véase la figura; tiempo de recolección, mediados de verano; autofértil).

ALTURA: 2–10 m
ESPACIO QUE NECESITA: de 10 a 15 m²
RECOLECCIÓN: desde ppos. hasta med. verano

fruta de hueso

Cultivo: plantación en primavera o en otoño; autofértil.
Suelo: sin demasiadas exigencias, permeable, crece bien incluso en suelos algo arenosos, de ninguna forma muy húmedos.
Cuidados: recolectar de forma periódica, cortar las ramas que cuelguen hacia abajo; aclarar después de la recolección; en el momento de la maduración utilizar una red para evitar que los pájaros consuman las cerezas.
Recolección: recolectar una vez que los frutos sean de un color rojo negruzco; utilizar de inmediato.
Sustancias que contiene: ácidos de fruta, fructosa, vitaminas A y C, potasio, calcio.
Otros tipos y variedades: Guindas: «Guinda del Norte» de fruto grande y globoso, maduran de ppos. a med. verano. Los cerezos dulces (*Prunus avium*) forman una gran copa, son autofértiles y necesitan más sol y calor; recolectar el fruto que se vaya a consumir en crudo; para cosechar los destinados a zumos o mermeladas se puede sacudir el árbol y dejar que las cerezas caigan sobre un paño colocado en el suelo.

ALTURA: 2–8 m
ESPACIO QUE NECESITA: unos 20 m²
RECOLECCIÓN: desde ppos. verano hasta ppos. otoño

fruta de hueso

Cultivo: plantación en primavera o en otoño; junto a las variedades que no son autofértiles hay otras que sí lo son.
Suelo: arenoso-barroso, permeable, rico en nutrientes, bien ventilado; pero también soporta suelos algo más húmedos y duros.
Cuidados: de crecimiento fuerte, rápido y muy productivo, por lo tanto realizar una poda profesional y aclarar de vez en cuando; eliminar las ramas que estén demasiado inclinadas, ya que tienden a romperse.
Recolección: los frutos, con forma de huevo y puntiagudos por ambos extremos, están bien maduros una vez que el pedúnculo se muestra algo rizado; para consumo en crudo hay que cosecharlas un poco antes de su total maduración y luego continuar con la recolección; para mermeladas, compotas y zumos utilizar frutos maduros por completo, se caen del árbol tan sólo con agitarlo un poco.
Sustancias que contiene: fructosa, vitaminas A y C, potasio.
Otros tipos y variedades: «Bühler Frühwetschge» (recolección a med. verano), «Ersinger Frühzwetsche» (recolección a ppos. o med. verano), «Hauszwetsche» (véase la figura; recolección a fin. verano o ppos. otoño).

Zarzamora
Rubus fruticosus

Fresal
Fragaria x ananassa

Frambueso
Rubus idaeus

ALTURA: 3–5 m
ESPACIO QUE NECESITA: entre 1,5 y 2 m²
RECOLECCIÓN: desde ppos. verano hasta ppos. otoño

baya

Cultivo: plantación en primavera a distancias de 1 a 1,5 m; al plantar cubrir el brote base con unos 5 cm de tierra; lo mejor es guiarlo por medio de dos o tres alambres hasta llegar a una altura de 1,6 m; autofértiles.
Suelo: mullidos, ricos en humus, suficiente humedad pero de ninguna forma que esté encharcado.
Cuidados: los brotes sarmentosos laterales se deben cortar en verano (med. verano) hasta dejar sólo tres; los frutos se forman en los brotes que tienen dos años y que deberán cortarse después de la cosecha; en otoño se debe cubrir la cepa con compost.
Recolección: recolectar una vez que estén maduros por completo, en cuyo momento los frutos presentarán un color azul negruzco intenso y se desprenden de la mata con mucha facilidad.
Sustancias que contiene: entre otras, vitaminas A y C, hierro y magnesio.
Otros tipos y variedades: «Navaho» (mora Arkansas, crecimiento en forma de columna, sin espinas, frutos grandes, tiempo de recolección a med. o fin. verano); «Theodor Reimers» (muy espinosas, tiempo de recolección entre ppos. y fin. verano); «Black Satin» (sin espinas; tiempo de recolección entre med. verano y ppos. otoño).

ALTURA: 15–25 cm
ESPACIO QUE NECESITA: 50 x 25 cm
RECOLECCIÓN: desde fin. primavera hasta ppos. otoño

baya

Cultivo: plantación en hileras a ppos. o med. verano; 50 cm de distancia en la hilera, 25 cm de distancia con respecto a la hilera vecina; de ningún modo colocar el brote principal demasiado profundo; la mayoría de las veces son autofértiles.
Suelo: ricos en humus, permeables, ricos en nutrientes, el valor del pH óptimo es, más o menos, 6.
Cuidados: en primavera, y por segunda vez a ppos. o med. verano, administrar compost o un abono de larga duración; acolchar; una vez hayan brotado los frutos, colocar debajo paja; a fin. primavera o ppos. verano retirar los estolones para una nueva plantación; si se diera el caso eliminarlos; regar con abundancia la nueva plantación de med. a fin. verano.
Recolección: los frutos son más aromáticos cuando presentan un color rojo oscuro y están maduros por completo.
Sustancias que contiene: sobre todo vitaminas A y C, fructosa, potasio.
Otros tipos y variedades: «Evita» (dan fruto dos veces), «Hummi» (fresas trepadoras), «Imtraga-Selektra» (dan fruto dos veces, a fin. primavera y med. o fin. verano); «Ostara» (dan fruto varias veces; tiempo de recolección entre ppos. verano y ppos. otoño); «Senga Sengana» (frutos muy grandes, se recolectan en med. verano).

ALTURA: 1,5–2 m
ESPACIO QUE NECESITA: 1 a 2 m²
RECOLECCIÓN: desde fin. primavera hasta fin. verano

baya

Cultivo: plantación en primavera y otoño; al plantar cubrir el brote base con 5 cm de tierra; lo mejor es guiarlo con dos o tres alambres horizontales; autofértil.
Suelo: rico en nutrientes y en humus, permeable, el valor del pH óptimo es, más o menos, 6; bastante húmedo pero no con demasiada agua.
Cuidados: acolchar con compost de follaje o de corteza; no remover la tierra puesto que las raíces de la planta son muy superficiales; no abonar en exceso (con potasio y sin cloro); los frutos se forman en los brotes de dos años, que deben ser cortados tras la cosecha (con excepción de la primera cosecha de las variedades que dan frutos dos veces).
Recolección: en el mismo año de la plantación; los frutos se sueltan con mucha facilidad.
Sustancias que contiene: vitaminas, minerales.
Otros tipos y variedades: «Golden Queen» (tiempo de recolección de med. a fin. verano, frutos amarillos); «Royal» (frutos muy grandes, tiempo de recolección a fin. verano); «Rumiloba» (tiempo de recolección a fin. verano, muy resistente); «ZEFA 3» (variedad que da fruto dos veces, tiempo de recolección de ppos. a fin. verano).

Grosellero
Ribes nigrum, Ribes rubrum

Grosellero negro
Ribes x nidrigolaria

Kiwi
Actinidia chinensis

ALTURA: 1,5 m
ESPACIO QUE NECESITA: 1,5 a 2 m²
RECOLECCIÓN: desde fin. primavera
hasta med. verano

baya

Cultivo: plantación en otoño; al plantar se deben dejar unas cinco yemas en cada brote; las variedades rojas y blancas son autofértiles, pero dan mayor cosecha si se plantan junto a otras variedades, las variedades negras pueden ser autofértiles o no.
Suelo: ricos en nutrientes y en humus, bastante húmedo pero no con demasiada agua.
Cuidados: recortar los brotes viejos (a los cinco años, poco más o menos) después de la recolección, o bien a fin. invierno hasta el suelo; cada año quitar de dos a tres nuevos brotes; acolchar; no remover el suelo pues las raíces son muy superficiales.
Recolección: cortar o retirar los racimos una vez que los frutos se hayan coloreado por completo.
Sustancias que contiene: sobre todo vitamina C, pectina, ácidos de fruta, minerales.
Otros tipos y variedades: «Red Lak» (frutos rojos), «Rovada» (racimos largos, frutos de color rojo oscuro); «Rote Vierländer» (frutos rojos, robustos y muy productivos); «Titania» (frutos negros), «Weiße Versailler» (frutos blancos).

ALTURA: 1,5–2 m
ESPACIO QUE NECESITA: 2 a 2,5 m²
RECOLECCIÓN: ppos. verano

baya

Cultivo: plantación en otoño; al plantar, en los brotes sin espinas se deben dejar unas cinco yemas por cada uno; autofértil.
Suelo: rico en nutrientes y en humus.
Cuidados: poda regular para aclarar; en el caso de arbustos de fuerte crecimiento, la primera vez después de los tres años; los viejos brotes se deben cortar a la altura del suelo; acolchar; no remover la tierra pues las raíces son superficiales; en primavera incorporar abonos con potasio y sin cloro; el cruce de grosella normal y espinosa es muy saludable y resistente frente al mildiu y los ácaros de agallas.
Recolección: a partir de ppos. verano recolectar de forma independiente los frutos tan pronto como tengan un tono oscuro; son muy sabrosos en crudo, pero resultan muy apropiados para preparar mermeladas y confituras.
Sustancias que contiene: sobre todo vitamina C, ácidos de fruta, minerales.
Otros tipos y variedades: «Jogranda» (tiempo de recolección a ppos. verano); «Jostine» (tiempo de recolección a ppos. verano).

ALTURA: 4–8 m
ESPACIO QUE NECESITA: unos 3 m²
RECOLECCIÓN: desde ppos. hasta med. otoño

baya

   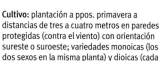

Cultivo: plantación a ppos. primavera a distancias de tres a cuatro metros en paredes protegidas (contra el viento) con orientación sureste o suroeste; variedades monoicas (los dos sexos en la misma planta) y dioicas (cada variedad tiene un sexo y es necesario colocar dos plantas).
Suelo: rico en humus, profundo, valor pH óptimo situado alrededor de 6, humedad suficiente.
Cuidados: anudar los brotes superiores; si se observa que cada vez los frutos son más pequeños, cortar los brotes laterales a finales de primavera a partir de la sexta hoja por encima de los frutos; en primavera administrar compost o un abono mineral; cubrir bien en invierno; proteger los frutos de la radiación solar intensa.
Recolección: primera cosecha después del quinto año; recolectar los frutos cuando aún están duros, luego madurarán bien.
Sustancias que contiene: vitamina C, potasio, calcio.
Otros tipos y variedades: «Jenny» (frutos grandes y muy vellosos; autofértil), «Weiki» (frutos pequeños y lisos; autofértil), «Weiki-Bavaria» (frutos color amarillo dorado, sin pelo; resistente al invierno; autofértil).

Arándano americano
Vaccinium corymbosum

Arándano rojo
Vaccinium vitis-idaea

Aronia negra
Aronia melanocarpa

ALTURA: 40–80 cm
DISTANCIA ENTRE PLANTAS: 1 x 2 m
RECOLECCIÓN: desde fin. primavera hasta fin. verano

baya

Cultivo: plantación en primavera o en otoño; la mayoría de las veces es autofértil, pero es más productivo cuando se plantan juntas diversas variedades; también se puede cultivar en macetas con el sustrato adecuado.
Suelo: rico en humus, permeable, ácido, (valor pH 4-5).
Cuidados: obligatorio plantar en un sustrato ácido (lo mejor en una maceta); acolchar; aclarar de forma periódica después del primer año de vida y eliminar los brotes viejos; a ppos. primavera añadir abono sin cloro; regar con abundancia de tres a cinco semanas antes de la recolección.
Recolección: primeros frutos después de unos cinco años; las bayas maduras son de color azul oscuro y se desprenden con facilidad; su jugo no es de tono azul rojizo (al contrario de lo que ocurre con los arándanos silvestres).
Sustancias que contiene: vitaminas A, B y C, minerales.
Otros tipos y variedades: «Bluecrop» (recolección a ppos. o med. verano); «Heideropa» (grandes frutos, recolección a ppos. y med. de verano); «Reka» (recolección a ppos. verano).

ALTURA: 15–30 cm
DISTANCIA ENTRE PLANTAS: 30 x 30 cm
RECOLECCIÓN: desde ppos. hasta fin. verano u ppos. otoño

baya

Cultivo: plantación en primavera o en otoño; la mayoría de las veces es autofértil, pero es más productivo cuando se plantan juntas diversas variedades; también se puede cultivar en macetas con el sustrato adecuado, o bien como cultivo intercalado con el arándano azul.
Suelo: rico en humus, ácido, valor pH óptimo de 3-5 (lo mejor es plantarlo en maceta), algo seco.
Cuidados: es suficiente con un aclarado ocasional de los brotes viejos y secos; acolchar con compost de corteza o de tierra de bosque; regar con abundancia antes del comienzo del invierno.
Recolección: los frutos se pueden recolectar en pequeñas cantidades a ppos. verano y en mayor número a fin. verano y ppos. otoño; los frutos maduros son de un color rojo brillante.
Sustancias que contiene: vitamina B y mucha vitamina C, potasio, ácidos de la fruta.
Otros tipos y variedades: «Erntesegen» (frutos grandes, recolección a fin. verano); «Ko-ralle» (frutos medios, muy numerosos, recolección a fin. verano); «Red Pearl» (frutos muy grandes, recolección en ppos. otoño).

ALTURA: 1–1,5 m
DISTANCIA ENTRE PLANTAS: 1 x 1 m
RECOLECCIÓN: med. verano

baya

Cultivo: plantación en primavera o en otoño; se crean muchos estolones que pueden ser retirados de la planta madre y colocados como nuevas plantas; autofértil; en otoño es muy decorativa debido a la coloración roja de sus hojas.
Suelo: sin exigencias; crece en casi todos los suelos, pero no soporta terrenos empapados.
Cuidados: este arbusto de fuerte crecimiento no requiere cuidados, es duro frente a las heladas y no necesita una poda regular, aunque de vez en cuando se deben retirar los brotes muertos.
Recolección: las bayas medio ácidas están listas para ser recolectadas una vez que presentan un color negro brillante; en crudo son un poco insípidas, pero son muy adecuadas para fabricar mermeladas, zumos y confituras.
Sustancias que contiene: rico en vitaminas y minerales.
Otros tipos y variedades: «Viking» (recolección a med. verano, no es de gran crecimiento).

 Sol Semisombra Sombra Regar mucho Regar con moderación Regar poco

Grosellero espinoso
Ribes uva-crispa

Parra de uva de mesa
Vitis vinifera

Loganberry
Rubus fruticosus x Rubus idaeus

ALTURA: 1,5 m
DISTANCIA ENTRE PLANTAS: 1,5–2 m
RECOLECCIÓN: desde fin. primavera
hasta ppos. verano

fruto de baya

Cultivo: plantación en otoño; es autofértil, pero más productivo cuando se planta junto a otras variedades.
Suelo: rico en nutrientes, rico en humus, permeable, no demasiado seco.
Cuidados: abonar con compost; acolchar; no remover la tierra pues es de raíces superficiales; podar cada año, el arbusto debe disponer de diez a doce brotes que tengan uno o dos años, pues resulta más sencillo de recolectar; apuntalar bien la ramas más altas.
Recolección: para el consumo en fresco las bayas se deben recolectar maduras por completo; si se van a usar para congelar o para compotas o mermeladas, recoger la cosecha cuando estén medio maduras o verdes, pues en ese momento contienen menos ácido y no requieren tanta cantidad de azúcar.
Sustancias que contiene: rico en vitamina C, fructosa y ácidos de fruta.
Otros tipos y variedades: «Invictus» (frutos de color amarillo miel), «Mucurines» (frutos verdes); «Rexrot» (frutos color rojo oscuro), «Risulfa» (frutos amarillos), «Rolonda» (frutos rojos).

ALTURA: 2–6 m
ESPACIO QUE NECESITA: 2,5–4 m²
RECOLECCIÓN: desde med. verano hasta ppos. otoño

baya

Cultivo: plantación en primavera en un lugar protegido y sin viento, orientación sur, sureste o suroeste (¡mantener al menos una distancia de 20 cm con respecto a la pared!); al colocar hacer una poda hasta la primera yema, cubrir con un poco de tierra el lugar del injerto; autofértil.
Suelo: permeable, evitar el exceso de agua y la sequía extrema.
Cuidados: poda regular de los brotes en primavera hasta dejar de dos a cuatro yemas por brote; después de hacerlo sujetar a alambres horizontales o en forma de abanico; a ppos. verano cortar el follaje y las ramas que no hayan fructificado para que las uvas puedan madurar y recibir suficiente calor y luz solares.
Recolección: recolectar sólo los frutos maduros por completo. ¡Hay que probarlos!
Sustancias que contiene: rico en vitamina, fructosa y potasio.
Otros tipos y variedades: «Boskoop´s Glorie» (uvas azules, resistentes al mildui); «Lakemont» (uvas blancas sin pepita), «Phoenix» (uvas blancas); «Roter Gutedel» (uva roja), «Vanessa» (uvas rojas sin pepitas).

ALTURA: 3–4 m
ESPACIO QUE NECESITA: 1 a 1,5 m²
RECOLECCIÓN: desde ppos. verano hasta med. verano

baya

Cultivo: plantación en primavera en un lugar protegido; al plantar cubrir el brote principal con unos 5 cm de tierra; unir cinco o seis de los brotes más fuertes a dos o tres alambres de amarre hasta una altura de 1,6 m; autofértil.
Suelo: mullido, rico en humus, con suficiente humedad pero de ninguna forma con exceso de agua.
Cuidados: poda de los brotes laterales de la espaldera hasta dejar tres yemas, a med. verano; en primavera cortar a ras de suelo los brotes gastados el año anterior; los frutos se forman en los brotes que tienen dos años.
Recolección: los grandes frutos de este cruce de zarzamora y frambueso están maduros cuando alcanzan su plena coloración y se desprenden con facilidad de la planta; en crudo son un poco insípidos, pero son muy adecuados para fabricar mermeladas, zumos y confituras.
Sustancias que contiene: vitaminas.
Otros tipos y variedades: «Medana» (bayas grandes de color rojo intenso, muy productiva); también las moras Logan y Boysen son cruces de moras y frambuesas.

Verduras silvestres

MODESTAS Y SABROSAS

Nombre	Información	Suelo	Cultivo/Cuidados	Recolección	Utilización
Armuelle *Atriplex hortensis*	☼ 🔸 🪴	esponjoso, permeable, no demasiado seco	sembrar a med. primavera; una vez que haya brotado dejar sólo una planta cada 5 cm; mantener una humedad uniforme; posee una fuerte regeneración natural	ya sea una recolección continuada de las hojas por separado, o de toda la planta, cosechar desde una altura de unos 15 a 20 cm poco antes de que comience la floración	para sopas y salsas; rehogar como las espinacas, pero no consumir en grades cantidades
Diente de león *Taraxacum officinale*	☼ 🔸 ● 🪴 🔹	profundo, rico en nutrientes, no demasiado seco	planta multianual; sembrar a fin. primavera; es de fuerte regeneración natural por medio de «flores volantes»	cosechar de forma continua las hojas jóvenes; en primavera también se pueden recolectar las flores y las yemas	las hojas frescas sirven para ensalada; rehogadas como verdura; y secas para hacer infusiones; las yemas se rehogan o se preparan en vinagre como las alcaparras; las flores son una decoración comestible
Chirivía *Pastinaca sativa*	☼ 🪴 ▦ ❄	sustrato barroso, aunque también crece en suelos con algo de arena, rico en humus, permeable	sembrar a partir de fin. invierno o ppos. primavera, y utilizar semillas frescas que brotarán de inmediato; cuidados similares a los de las zanahorias	las raíces pueden ser recolectadas a lo largo del otoño y también en invierno, pero no hacerlo a partir de las inflorescencias	cruda en ensaladas o rehogada como las zanahorias. También se pueden almacenar como éstas y contienen más vitaminas C que ellas
Acedera *Rumex acetosa*	● 🪴 🔹	profundo, rico en nutrientes, húmedo	planta multianual; colocar las plantas jóvenes en primavera u otoño; sembrar a ppos. otoño	recolectar frescas las hojas jóvenes en primavera, antes de la floración	para ensaladas, sopas, salsas, *quark* (requesón) de hierbas o tortillas; rehogar como las espinacas, pero no consumir en grandes cantidades, pues pueden provocar irritación en el estómago
Lechuga de tallo, lechuga espárrago *Lactuca sativa* var. *angustana*	☼ 🪴 🔹	rico en humus, esponjoso, permeable, rico en nutrientes	sembrar a partir de fin. invierno o ppos. primavera, son posibles siembras sucesivas hasta el verano pero la germinación es deficiente a altas temperaturas (a partir de los 25°C)	cosechar de forma continua las hojas jóvenes y los tallos	las hojas jóvenes y los tallos se pueden consumir en crudo como ensalada y rehogados como verdura se utilizan mucho en los platos asiáticos
Roqueta silvestre *Eruca selvatica*	☼ 🪴 🔹	rico en humus, permeable, no demasiado seco	sembrar desde fin. invierno hasta fin. verano; utilizar simiente curada pues la fresca germina mal; cambiar anualmente la superficie de cultivo.	cosechar de forma continua las hojas jóvenes antes de la floración; no cortar a demasiada profundidad para que las plantas puedan volver a crecer.	las hojas jóvenes y frescas se pueden consumir en crudo como ensalada y un poco rehogadas se usan como las espinacas.

☼ Sol 🔹 Semisombra ● Sombra 🪴 Regar mucho 🪴 Regar con moderación 🪴 Regar poco

Frutales silvestres

BIEN DESARROLLADOS Y MUY PRODUCTIVOS

Nombre	Información	Suelo	Cultivo/Cuidados	Recolección	Utilización
Frutales silvestres *Amelanchier lamarckii*	☀ ◐ 🐟 🥫	rico en humus, amante de la cal, arenoso-gravoso, algo húmedo	necesita un espacio de 4 a 6 m²; bueno para mezclar y formar setos vivos no muy tupidos, o bien para tenerlo aislado	los frutos se pueden cosechar a media maduración (color violeta rojizo) o maduros por completo (violeta negro)	los frutos se pueden consumir crudos; también se utilizan para preparar mermelada o recubrimiento de tartas
Avellano *Coryllus avellana*	☀ ◐ 🐟	profundo, rico en nutrientes, limo-gravoso, algo calizo, bastante húmedo	necesita un espacio de 5 a 8 m²; plantación en otoño; aclarar, es decir, cada dos años quitar las ramas viejas podándolas lo más bajo que sea posible	para conseguir una buena cosecha hay que plantar dos o tres variedades distintas	para almacenar hay que retirar las hojas verdes que envuelven el fruto y conservar las avellanas en ambiente fresco y seco
Escaramujo *Rosa canina*	☀ ◐ 🐟 🥫 ❄	profundo, algo barroso, también prospera en suelos pedregosos y arenosos, e incluso desde secos hasta algo húmedos	necesita un espacio de 4 a 5 m²; bueno para mezclar y formar setos vivos no muy tupidos; en primavera hay que aclararlo con regularidad antes de que broten las hojas	sólo se deben recolectar los escaramujos si están totalmente coloreados; los frutos de todas las especies de la Rosa canina son comestibles	los frutos se pueden consumir crudos; también sirven para preparar gelatina, mermelada, zumo o vino; retirar con cuidado los huesos del núcleo, muy ricos en vitamina C-x
Cornejo macho *Cornus mas*	☀ ◐ 🐟 🥫	esponjoso, permeable, calizo; prospera mejor en suelos arenosos-gravosos, pero también lo hace en suelos arcillosos o barrosos	necesita un espacio de 4 a 6 m²; plantación en primavera; bueno para mezclar y formar setos vivos no muy tupidos; aclararlos de forma ocasional	se deben recolectar los frutos cuando presenten un color negro rojizo oscuro y se puedan separar de la rama con toda facilidad	los frutos se pueden consumir crudos; también se usan para preparar gelatina y mermelada
Espino amarillo *Hippophae rhamnoides*	☀ 🐟 🪴 🥫	esponjoso, permeable, calizo, profundo, pobre, arenoso-gravoso; puede ser desde bastante seco hasta algo húmedo	necesita un espacio de 2 a 4 m²; se plantan aislados; si estás en un lugar adecuado puede formar muchos estolones; no utilizar acolchado de cortezas	colocar plantas masculinas y femeninas o no se conseguirá la fructificación; cosechar las bayas cuando empiecen a estar blandas	para preparar gelatina, mermelada y zumo; muy ricos en vitaminas (vitamina C y provitamina A); las vitaminas son resistentes al calor
Saúco negro *Sambucus nigra*	☀ ◐ 🐟 🪴 🥫	es amante de suelos duros, arcillosos o barrosos, ricos en nutrientes	necesita un espacio de 5 a 8 m²; bueno para mezclar y formar setos vivos no muy tupidos; de crecimiento vigoroso; cada dos años podar las ramas viejas lo más bajo que sea posible	recolectar las bayas negras ya maduras; podar todas las umbelas y recolectar las bayas con una horca	para preparar zumo, gelatina y compota; no se debe consumir gran cantidad de bayas crudas

 Puede vivir en maceta   Puede almacenarse ❋ Se puede congelar 🥫 Puede prepararse en conserva

Principios de invierno

- Recolectar del bancal las últimas verduras de invierno.
- Comprobar las frutas y verduras que se tengan almacenadas; separar y procesar las piezas arrugadas o podridas; puede que se tenga que humedecer la arena donde se almacenan las verduras.
- Preparar un plan de cultivo y ajustarlo con el del año anterior. ¡Tener en cuenta las pausas de cultivo y las plantas vecinas!
- Elegir y encargar todas las herramientas y los elementos que se vayan a utilizar en la próxima temporada hortícola. Tierra de siembra, macetas, invernaderos, hojas de plástico o de fibra textil, simiente...

Mediados de invierno

- Recolectar del bancal las últimas verduras de invierno.
- Primeras siembras en el alféizar de la ventana o en el invernadero.
- Sembrar las primeras espinacas al aire libre.
- En los días que no se produzcan heladas hay que podar los manzanos, los perales y los grosselleros (normales o espinosos).
- Comprobar las frutas y verduras que se tengan almacenadas.

Finales de invierno

- En los días que no se produzcan heladas hay que podar los frutales de hueso y las vides.
- Plantar frutales.
- Trasplantar las primeras siembras y poner otras en el alféizar de la ventana o en el invernadero.
- Si el suelo está bastante seco, preparar los bancales de siembra.
- Incorporar compost a los bancales que ya se tengan preparados, y también debajo de los arbustos y los árboles.
- Hacer las primeras siembras al aire libre, cubriéndolas con plástico o fibra textil.
- Colocar las cebollas y los ajos.
- Sembrar plantas de abono verde.

El jardín culinario
a lo largo de todo el año

Principios de verano

- Temporada principal para la recolección de las lechugas, las verduras y las primeras frutas.
- Dar de «comer» a los macizos y las macetas en forma de compost, fertilizantes preparados o caldos vegetales.
- ¡¡Regar, regar y regar!!
- Apilar los puerros para que desarrollen unos tallos fuertes y blancos.
- Despuntar y quitar las hojas de las tomateras. Sujetar los tallos a los rodrigones.
- Aclarar las vides.
- Sembrar o plantar las primeras verduras de otoño e invierno.

Mediados de verano

- ¡¡De nuevo, regar, regar y regar!!
- Escardar, acolchar, azadonar
- En las superficies libres ya se pueden sembrar plantas de abono verde.
- No abonar más a partir de mediados o finales de verano.
- Hacer la poda de verano de los frutales.
- Recolectar la cosecha de los arbustos de bayas y podarlos después.
- Quitar estolones de los fresales y volver a plantarlos.
- Hacer siembras en sucesión de rábanos largos y redondos, rúcula y lechugas asiáticas.

Finales de verano

- Plantar ahora los frutales a raíz desnuda o con cepellón.
- Echar potasio y cal como abono de almacenamiento.
- Recolectar la fruta.
- Recolectar la primera verdura de almacenamiento y mantenerla en frío.
- Colocar en los frutales anillos pegajosos para hacer frente a las mariposas de la escarcha.
- Cosechar los ajos y las cebollas para almacenar, y dejar que se sequen bien.
- Sembrar las especies de invierno de canónigos, espinacas y verdolagas.
- Favorecer y asegurar la maduración de los tomates colocando caperuzas de plástico.
- Sembrar plantas de abono verde.

Principios de primavera

- Proceder a otras siembras en el alfeizar de la ventana o en el invernadero.
- Mantener con regularidad la humedad de la siembra; trasplantar las simientes si se estima necesario.
- Montar las cajas de las camas calientes.
- Preparar los bancales de colina.
- Proteger la siembra con redes, tanto contra la voracidad de los pájaros como frente a los insectos.
- Preocuparse de eliminar de inmediato los caracoles y los huevos que depositan.
- Quitar las malas hierbas.
- Plantar los kiwis y las vides, aunque se debe tener preparado un material de recubrimiento por si surgieran heladas tardías.

Mediados de primavera

- A principios de primavera, comienza la temporada del aire libre: ahora se puede sembrar o plantar directamente en los bancales.
- Para hacer frente a las heladas tardías, colocar plásticos o un recubrimiento textil.
- Regar con periodicidad las siembras y plantaciones, mantener libres de malas hierbas los macizos y esparcir acolchado vegetal.
- Recolectar las primeras lechugas y rabanitos procedentes de las camas calientes.
- Colgar de los árboles trampas que atraigan a las mariposas de la manzana.
- Colocar paja debajo de los fresales para que no se pudran los frutos que tocan el suelo.

Finales de primavera

- Comienzo de la temporada principal para la recolección de las lechugas y las verduras tempranas.
- Añadir purines y caldos vegetales como medida de protección y mantenimiento de las plantas.
- Instalar ahora los sistemas de riego para las macetas y jardineras del balcón, y ponerlos a prueba antes de que comience la temporada de vacaciones.
- Regar con periodicidad, quitar las malas hierbas, abonar y estar en guardia ante los ataques de los parásitos.
- Recolectar las primeras frutas: fresas, arándanos, grosellas, grosellas negras y grosellas espinosas.

Si te preocupas de que la siembra, la plantación, los cuidados o la recolección de las frutas y las verduras se verifiquen en su momento más adecuado, te asegurarás el éxito en tu huerto.

Principios de otoño

- Cambiar de sitio el compost.
- Remover los bancales incorporando tierra más pesada y barrosa.
- Recubrir los cultivos invernales, como los canónigos destinados a cosechar en invierno, con ramas secas o túneles de plástico.
- Echar potasio y cal como abono de almacenamiento.
- Sembrar las últimas espinacas.
- Cosechar las especies tardías de fruta.
- Cosechar y almacenar el resto de la verdura destinada a almacenar.
- Retirar los anillos de protección contra las mariposas de la manzana.
- Dar una mano de lechada de cal a los frutales.
- Preparar las camas calientes.

Mediados de otoño

- Proteger del frío invernal los frutales del balcón o la terraza con plástico de burbujas o material textil.
- Aún se pueden recolectar, en días que no haya helada, las verduras de invierno que queden en los bancales.
- Echar un vistazo a las frutas y verduras almacenadas.
- Controlar los recubrimientos de invierno de los bancales.

Finales de otoño

- Retirar los anillos pegajosos contra las mariposas de la escarcha.
- Comprobar las frutas y verduras que se tengan almacenadas; en caso necesario clasificar y procesar.
- Repasar o dar de nuevo la lechada de cal a los frutales.
- Proteger del sol invernal los frutales de espaldera con ramas secas, esteras de rafia o sacos de yute.
- Preparar el plan de cultivo y ocupación de los bancales. ¡Tener en cuenta las pausas de cultivo y las plantas vecinas!
- Elegir, encargar o comprar el material para los bancales altos o las camas calientes.

Índice alfabético

Los números en **negrita** hacen referencia a las ilustraciones

Tabla de cultivos mixtos: buenos y malos vecinos

Tipo de verdura	Buenos vecinos	Malos vecinos
Judías enanas	Fresas, coles, colinabos, remolachas rojas, lechugas	Guisantes, hinojo, puerros, ajos, cebollas
Guisantes	Hinojo, pepinos, coles, colinabos, zanahorias, lechugas, calabacines	Judías, puerros, tomates, cebollas
Fresas	Judías, ajos, lechugas, cebollas	–
Hinojo	Guisantes, pepinos	Judías, tomates
Pepinos	Judías, pepinos, hinojo, colinabos, puerros, maíz	Rabanitos, tomates
Verduras de tipo col (brasicáceas)	Judías, guisantes, puerros remolachas rojas, lechugas, apio, espinacas, tomates	Fresas, ajos, cebollas
Colinabos	Lechugas de cogollo, puerros, apio	–
Lechugas de cogollo	Judías, guisantes, fresas, pepinos, coles, colinabos, berros, puerros, zanahorias, rabanitos, rábanos largos, tomates	Apio
Puerros	Zanahorias, apio, tomates	Judías, guisantes, remolachas rojas
Acelgas	Zanahorias, coles, colinabos, rábanos largos	Remolachas rojas
Zanahorias	Ajos, puerros, lechugas, cebollas	Remolachas rojas
Rábanos largos y rabanitos	Judías, colinabos, zanahorias	Pepinos
Apio	Judías, colinabos, puerros	Lechugas de cogollo
Espinacas	Tomates	Canónigos, acelgas, remolachas rojas
Tomates	Judías, colinabos, puerros, apio, espinacas	Guisantes, hinojo
Calabacines	Guisantes	–
Cebollas	Fresas, pepinos zanahorias, lechugas	Judías enanas, guisantes, coles

Debido a las grandes diferencias climáticas y microclimáticas existentes, hemos establecido los criterios hortícolas pensando en un jardín de una zona templada media, sin grandes heladas invernales ni un calor sofocante en verano. Por lo tanto, cada lector deberá adelantar o retrasar las labores correspondientes dependiendo de si su jardín se halla en una zona más cálida o más fría que la media considerada.

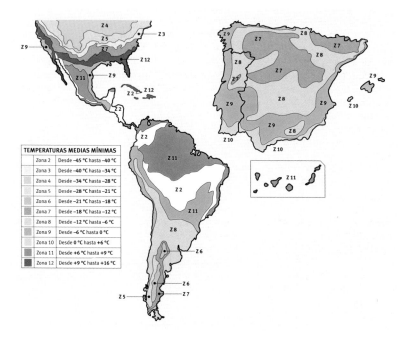

TEMPERATURAS MEDIAS MÍNIMAS	
Zona 2	Desde −45 °C hasta −40 °C
Zona 3	Desde −40 °C hasta −34 °C
Zona 4	Desde −34 °C hasta −28 °C
Zona 5	Desde −28 °C hasta −21 °C
Zona 6	Desde −21 °C hasta −18 °C
Zona 7	Desde −18 °C hasta −12 °C
Zona 8	Desde −12 °C hasta −6 °C
Zona 9	Desde −6 °C hasta 0 °C
Zona 10	Desde 0 °C hasta +6 °C
Zona 11	Desde +6 °C hasta +9 °C
Zona 12	Desde +9 °C hasta +16 °C

Directora de la colección: **Carme Farré Arana**

Título de la edición original: **Obst & Gemüse**

Es propiedad, 2007
© **Gräfe und Unzer Verlag GmbH,** Munich

© de la edición en castellano, 2009:
Editorial Hispano Europea, S. A.
Primer de Maig, 21 - Pol. Ind. Gran Via Sud
08908 L'Hospitalet - Barcelona, España.
E-mail: hispanoeuropea@hispanoeuropea.com

© de la traducción: **Eva Nieto**

Depósito Legal: B. 24387-2009

ISBN: 978-84-255-1868-3

AGRADECIMIENTO

La editorial y la autora agradecen a W. Neudorff GmbH KG, de Emmerthal, su amable apoyo.

ADVERTENCIAS IMPORTANTES

> La mayoría de las especies y variedades descritas en este libro no deben ser consumidas en cantidades excesivas.
> Las judías verdes consumidas crudas en grandes cantidades pueden resultar tóxicas, así que deben tomarse cocinadas. La misma recomendación es válida para los guisantes.
> Las herramientas de trabajo y el material de abono de las plantas deben mantenerse fuera del alcance de los niños y los animales domésticos.
> Si durante los trabajos de jardinería se produjera alguna herida, debe acudirse sin demora a un médico. Podría ser necesario aplicar una inyección contra el tétanos.

ACERCA DE LA AUTORA

Renate Hudak es diplomada en ingeniería de horticultura. Después de sus estudios trabajó durante varios años en diversas escuelas de horticultura y oficinas de proyectos de jardinería. Desde 1993 trabaja en el Botanischen Garten Augsburg (Jardín botánico de Augsburgo), donde presta sus servicios de asesoramiento a los ciudadanos, coordina las actividades de publicidad y prensa, y ha sido la organizadora de un amplio programa de preparación. Además, imparte seminarios sobre el tema del jardín culinario.

Crédito de fotografías:

Baumjohann: 76/1, 78/2, 78/3, 79/8, 79/11, 80/2, 80/4, 81/7, 81/8, 81/9, 81/11, 81/12. Bieker: 2 (izq.), 3 (der.).Borstell: 9, 18, 102 (cen.), 111 (cen.). Buchter: 80/5.Caspersen: 4/1, 22, 23, 42, 82. Fischer: 109 (izq.). FloraPress: 25. GAP/Borkowski: 94/4.Gardena: 70. Gartenfoto.at: 28/3, 88/2, 98 (izq.), 98 (der.), 100 (izq.), 101 (der.), 103 (izq.), 112 (izq.), 114 (cen.), 116/3, 116/4.Haas: 92 (der.).Hansen: 6, 93, 99 (cen.), 110 (der.), 113 (izq.).Hempfling: 20, 39 (izq.), 39 (cen.), 39 (der.). Kompatscher: 94/3.Kuttig: 78/1, 78/4, 79/9, 79/12. Laux: 19, 75/1, 97 (cen.), 100 (cen.), 102 (izq.), 104 (der.), 103 (izq.), 104 (izq.), 106 (cen.), 106 (der.), 107 (izq.), 114 (izq.), 115 (cen.), 116/1, 116/5, 117/3, 117/5, 117/6. Müller: 21. Nickig: 13 (aba.), 100 (der.), 103 (cen.), 108 (arr.), 113 (cen.), 115 (der.). Pforr: 71 (aba.), 77/5, 80/1, 80/3, 80/6, 92 (izq.), 99 (izq.), 117/2. Redeleit: 4 (der.), 14, 40 (der.), 41 (izq.), 41 (cen.), 41 (der.), 56, 59/5, 66, 75/3, 76/2, 77/3, 88/1, 88/5, 105 (izq.), 116/2, 119 (arr.). Reinhard: 15, 75/4, 77/4, 78/5, 78/6, 79/10, 88/4, 97 (izq.), 98 (cen.), 101 (izq.), 101 (cen.), 104 (der.), 105 (cen.), 105 (der.), 106 (izq.), 110 (izq.), 114 (der.), 117/4. Sachse: 81/10. Schaefer: 79/7. Schneider-Will: 1, 3 (izq.), 2 (aba.), 4/3, 4/4, 7, 8, 11, 11, 13 (arr.), 16, 17, 28/1, 28/4, 30, 31, 32 (arr.), 33 (arr.), 32 (aba.), 33 (aba.), 33 (der.), 34, 35 (arr.), 35 (aba.), 37/1, 37/2, 37/3, 37/4, 44, 45, 46, 47, 49/1, 49/2, 49/3, 49/4, 50/1, 51/2, 51/3, 51/4, 53/1, 53/2, 53/3, 55/1, 55/2, 55/3, 55/4, 55/5, 57, 58/1, 58/2, 59/3, 59/4, 61/1, 61/2, 61/3, 61/4, 62, 63/1, 63/2, 63/3, 64/1, 64/2, 64/3, 68, 71 (arr.), 84, 85, 86, 87 (arr.), 87 (aba.), 88/3, 96 (izq.), 96 (arr.), 97 (der.), 98 (der.), 107 (der.), 108 (aba., izq.), 110 (cen.), 112 (cen.), 113 (der.), 115 (izq.), 116/6, 117/1, 118, 119 (aba.), contraportada 1, 2 y 3.Strauß: 4/2, 24, 28/2, 109 (cen.), 109 (der.), 111 (izq.), 111 (der.), 112 (der.).Strauß/GBA: 75/2, 104 (cen.).Timmermann: 2-3, 10, 26, 69, 94/1, 94/2, 107 (cen.).Wilker: portada.

Ilustraciones:

Heidi Janicek, München

IMPRESO EN ESPAÑA   PRINTED IN SPAIN
LIMPERGRAF, S. L. - Mogoda, 29-31 (Pol. Ind. Can Salvatella) - 08210 Barberà del Vallès

124